D1462008

世 界 科 幻 精 品 画 库

huoxinggongzhu
火星公主

◆徐 芝主编 ●福建少年儿童出版社

目录

编文　郁　晨　　郑林杉

绘图　杨明方　　徐　青

　　　陈再胜　　刘思琴

火星公主

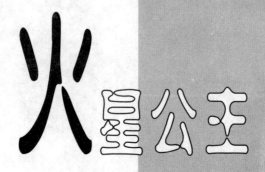

（1）我叫约翰·卡特，美国南北战争结束时，我有几十万美元，还领受一个部队骑兵兵种的上尉军衔。随着南部联邦的破灭，我到西南去闯开采金矿的路，1865年，我终于找到了金矿。

（2）因采矿设备简陋，我让采矿工程师鲍威尔去采购采矿机械。随后，我听到印第安人正在附近活动，赶紧带上武器，追赶鲍威尔。

3

（3）我在美国北部的印第安人中战斗过多年，知道鲍威尔面对狡猾的阿柏支族印第安人，活下来的机会是很少的。

（4）我看到一小块平地上扎满北部印第安人的圆锥形帐逢，我抽出两支左轮手枪，喊叫着冲去，左轮枪迅速射击，红皮肤战士受到突然袭击，向各方逃窜。

（5）在亚利桑那州月光下，鲍威尔躺在那里，身上插满印第安武士充满敌意的箭矢。我把鲍威尔遗体提起横放在马背上。我用马刺刺我的马，向着山口冲去。

（6）印第安人发现我是单人独骑，他们用咒骂、箭矢和枪弹来追杀我。我任马冲去，它碰巧走了一条通到山顶的隘路，当追杀我的野蛮人的喊来越来越模糊时，我才庆幸自己逃出了一条命。

（7）我走到一个大山洞口，把鲍威尔遗体放在岩石突出部，把水壶里的水倒进他嘴里，洗他的面孔，擦他的两手。他已没有复活的可能。查看山洞，我发现一个大房间。

（8）睡意袭来，但我不能睡。红皮肤武士任何时候都会来袭击我。我走进山洞，不料却像醉汉那样摇晃着靠在洞穴墙上，面孔朝下滑倒在地上。

（9）一个低沉的呻吟声从洞穴深处发出，追杀我的印第安人吓得惊惶失措地转身逃跑。一个武士倒栽葱地从峭壁上摔下，他们狂乱地叫喊着冲出山谷。

（10）月光射进山洞，我发现一个遗体躺在我面前，是我的遗体。我大惑不解地看着自己。因为我本来是穿着衣服的，可现在却赤身露体站在那里。

（11）我抬起头，吸进夜晚山间使人神清气爽的空气。我看到岩石山峡美丽景色，又把月光转向天空，被一颗红色大星吸引住了——它是火星。

（12）当我醒来时，发现自己卧在火星淡黄色地衣似的植被上。阳光射在身上，对赤裸裸的我来讲是强烈的，但与亚利桑那州沙漠的阳光就差远了。

（13）我一用力站起来，就离地约三码，我得学习走路。我变成独脚跳，每一跳离地几英尺，火星上较小的重力和较低的气压都不适应我。

（14）我考察一座低建筑，这是有人居住的证据。我只能爬行，墙高四英尺，我小心翼翼地站起来，窥窥从未见过的奇景。

（15）围墙的屋顶玻璃做的，屋顶下有几百个大蛋、蛋形浑圆，蛋色雪白，蛋的大小是一律的，直径约 2英尺半。五六只蛋已孵化出来，这些奇怪的东西在阳光下眨眼睛。

（16）他大部分由头部构成，身体瘦小，在头中心稍上的地方，眼睛突出，能向前后看，朝任何方向看。

（17）耳朵在眼睛上方,耳朵很小,是杯状的触角,鼻子是纵向裂口,在面部中心,嘴巴和耳朵之间。身体上没有毛发,呈淡淡的黄绿色,成人身体较深,呈橄榄绿色,男比女绿深。

（18）眼睛的虹彩是血红色的,瞳孔是黑色的,眼球很白,像牙的颜色,下獠牙向上弯成尖锐的末端,是雪白的颜色,非常可怕。

（19）我看着小怪物破壳而出，却没留意二十个成年火星人向我逼来。最前面武士的装备发出的戛拉声使我受到警告。

（20）大矛尖刺向我胸口，矛长 40英尺，矛尖是发亮的金属做的，持矛的火星人有 15英尺高，与小怪物一模一样。

（21）火星人的坐骑，肩离地 10 英尺，四条腿、有一条阔而扁的尾巴，末端比根部更大，它疾驰时，尾巴向后伸直，一张裂开的嘴巴把它的头部从它的鼻部到它的长而大的颈部分成两半。

（22）它光秃无毛，带有蓝黑的颜色，平滑而有光泽，腹部是白色的，它的前后腿则从肩部和臀部的蓝黑色逐渐变成足部的鲜明的黄色，足部肉趾很厚，没有趾甲，走路时，听不出足音。

（23）虽然我毫无武装，而且一丝不挂，为避开矛尖，我一跳，跳到火星人孵卵房顶上。火星武士大吃一惊，因为这一跳足有 30 英尺，离开武士 100 英尺远。

（24）他们用低沉的音调对话，打着手势，并且指着我。他们看我没有伤害小火星人，没有武装，也就不那么凶恶地看待我。

（25）武士除了大矛外，还有其他武器。他们擅长步枪。步枪轻，口径小，用镭弹头，射程很远。

（26）火星人交谈了一会，就转身向他们来时的方向走去。一个武士留在围墙旁。他们走了二百码又停下来转向我，注视那个武士。

（27）刺我的武士，丢下武器向我走近，离我 50英尺时，他解下巨大的金属臂章放在我面前，用洪亮的声音对我说话，等我的回答。

（28）我把手贴在心上，向火星人鞠躬。他也一笑，用手臂钩住我手臂，他指定我坐到一个武士的坐骑上，向远山驰去。

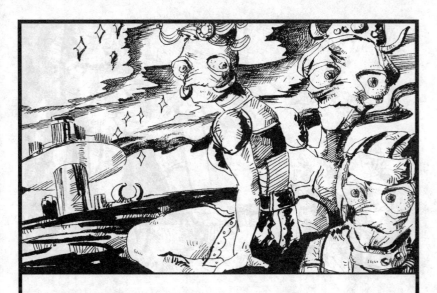

（29）除了装饰物，火星人都裸体。男女差别不大。女人獠牙弯到耳朵旁，身材小，颜色淡，手指、足趾有指甲和趾甲遗迹，男人没有。

（30）火星人活一千岁，平均寿命三百岁。他们长寿是因为非凡的治疗和外科技术，他们暴死是因为决斗、打猎和战争。

（31）我们进了觐见厅，去见大首领。俘虏我的武士，后来我知道他名叫塔斯·塔卡斯。

（32）绿色火星人的娱乐是处死他们的战俘，死了人会引起他们的狂欢。

（33）我靠爬行前进，一个高个子粗暴地把我拉起来，我挥拳击中他下巴，后来引发大家狂笑鼓掌。

（34）他们要我"跳"，我神奇地一跳，足有 150英尺高，这一次我没有跌倒，他们又要我跳，但我实在饿极了。

（35）塔斯·塔卡斯和大首领交谈了几句，喊来一个高 8英尺的年轻女人。她刚成熟，皮肤平滑有光泽，呈淡绿，名叫索拉，拉住我手臂向一幢大楼走去。

（36）索拉让我坐在一堆绸缎上，她发出嘶嘶声，我看到一个新怪物，有十条腿，头像蛙头，它的上下颚长了三排长而尖锐的獠牙。

（37）索拉向野兽发出命令，然后离开房间。我细心观察壁画，群山、河流、海洋，令人惊叹的美丽景色。

（38）索拉拿来食物和饮料，一磅像乳酪无味的固体物质，饮料是一种植物分泌出来的奶汁，味道很好，有点酸。

（39）吃饱喝足，我感到疲乏，不久睡着了。黑暗中，一只女人的手伸出来把毛皮盖在我身上，不久又一张毛皮盖了上来。

（40）警惕地护卫我的是索拉，她表现出同情、和善和仁爱，她使我免受许多磨难。她睡着了。房里睡有五个女人。

（41）火星上的夜晚非常寒冷，两个月亮照着火星，绿色火星人是智力尚未高度发展的游牧民族，只有粗糙的人工照明工具。

（42）那只野兽只是保护我，但当我走到城市边缘时，它就跳到我面前，向我怪叫，露出难看而又凶相毕露的獠牙。

（43）我与它相撞时，我跳到城市外很远的地方，它腿短跑得快，当它追我时，我跳到离地 30 英尺窗户上。一只大手把我抓住，凶暴地把我拖进房。

（44）怪物一脚把我踩在地上，吱吱喳喳打着手势示意它的配偶向我攻击，它挥舞石棒想打碎我的脑袋。怪物 15 英尺高，口鼻、牙齿像非洲的大猩猩。

（45）石棒向我劈来，我的警卫兽闪电般向白猿猛扑过去。白猿吓得尖叫着向打开的窗户跳了出去。它的配偶与我的警卫兽格斗。

（46）警卫兽的獠牙刺进对手胸部，白猿用粗大的手臂和爪子锁住它的咽喉，想掐死它，并且把它的头颈向后折弯，按在它的身上。

（47）白猿戳破的胸部被撕开了，痛得在地板上打滚，不久警卫兽的大眼睛从眼眶里凸出，血从它的鼻孔流出。

（48）我拿起石棒向白猿头上打去，把它的颅骨敲碎了。逃出的白猿又回来了，见到配偶死了，它口吐白沫，暴怒至极。

（49）我用地球上的策略，挥右拳猛击它下巴，又挥左拳猛击它心窝。白猿旋转着跌在地板上。我迅速跳过去，用石棒给了它致命一击。

（50）索拉醒来发现我不见了，立刻告诉塔斯·塔卡斯。他们立即和几个武士出发寻找我。

（51）塔斯·塔卡斯和武士进了房间,武士在塔卡斯授意下准备杀死警卫兽。紧急关头,我敲他的手臂,子弹打在窗户上。我扶警卫兽站起来,火星人感到惊奇。

（52）现在我有了两个朋友。一个是像慈母的年轻妇女索拉;还有一个是警卫兽。它身体里蕴含的爱和忠诚比全部五百万绿色火星人都多。

（53）全社区的人忙于把三轮战车套在庞大的动物身上。约有 250
辆战车，战车宽敞，装饰华丽。每辆有一个女火星人，兽背上坐一个
年轻的火星人。

（54）到目的地，战车按军事原则精确地停在围墙四边。由大首领
洛夸斯·普托梅尔带头，大小首领都下了坐骑向目标前进。

（55）塔斯·塔卡斯要我让洛夸斯·普托梅尔开开眼界,我跳过远在孵卵房那边停着的战车上方。大首领发出命令,允许我留在近旁,观看他们的行动。

（56） 火星养育年轻一代的工作就是教他们说话,教他们使用武器。出生第一年发给武器,经过 5年孵化期,他们出壳时就发育成熟。

（57）火星人没有亲子之爱。他们靠体格、凶猛表示他们是适于生存的，否则只有受苦。如果肢体损坏或残缺，就立刻遭枪杀。

（58）成年女人每年生十三只蛋，达到标准的蛋保存在不能孵化的地下室深处。这些蛋由二十个首领组成的委员会检查，每年孵化一百个最完美的蛋，其余的蛋统统毁灭。

（59）所有的武士都去运蛋。蛋放在密不透风的孵卵房里。由太阳光来孵化。在孵化的 5 年时间里，再也没人来看望了。

（60）索拉领到一个小火星人，所以她既要照顾年幼的火星人，又要照顾我。

（61）孵卵房仪式结束后第三天，我们回家。行进中接到散开命令。不到三分钟，战车、武士全不见了。只见二十只飞船正向我们飞来。

（62）飞船上有奇怪的旗帜，船头有奇怪的图案，船上人很多。绿火星人突然一齐射出猛烈的子弹，只见飞船上的人一个个击倒。

33

（63）飞船毫无防备，无法抵御。排枪齐射二十分钟后，庞大的飞船队就向来路飞回去。

（64）当一只飞船因失控与大楼相撞时，火星武士从各个窗户伸出身体，用长矛缓和碰撞，抛出钩子，把飞船拉到地上。

（65）俘虏被带到地上。战车忙着搬运武器、弹药、绸缎、毛皮、珠宝及雕刻精细的石器等战利品。

（66）货物搬空，几个武士把燃油倒在尸体上、船上，武士引发爆炸物，大飞船变成一团向天空飞去的火焰。

（67）俘虏是个苗条的少女。在关进牢房的一刹间，我和她目光相遇。鹅蛋脸，大眼睛，朱唇，鬈发，五官精雕细琢，微红的铜色皮肤，非常优雅，美极了！

（68）看到我，她双目圆睁，对我做了一个手势。我不理解。她脸上焕发出的希望和勇气，变成了沮丧，夹杂着厌恶和轻视。

（69）火星上的妇女担任对青年火星人的训练，传授个人攻防技术，而且制造火药、子弹和火器。战争期间，她们是后备军，需要作战时，她们比男人机智凶猛。

（70）男人则着重战争艺术的更高级的训练，着重战略和大部队调动方面。

（71）我和索拉朝夕相处，她加快对我的语言教育。不久，我就基本掌握火星人的语言，能会话，能听懂火星人的话。

（72）萨科贾看守女俘房。他们准备在塔尔·哈贾斯举行的大比赛上处死女俘房。

（73）我确信索拉对我的友谊，如果能逃走的话，我们能靠她帮助我和那个女俘虏逃走。

（74）我要求索拉帮我，我下了决心后，就到绸缎和毛皮里睡了一大觉，这是我到火星睡得最好的一个晚上。

（75）我了解了索拉,她的变节没被主人发现以前,我得赶紧回到城市边界。万一越界被发现,我的自由就没有了,索拉也会被处死。

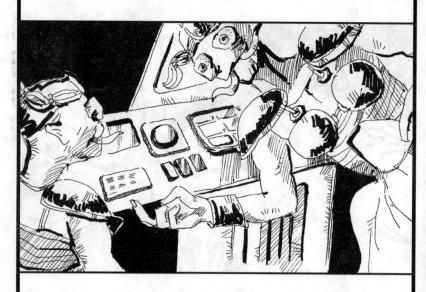

（76）萨科贾常捉弄女俘虏,她抓住女俘虏,指甲刺进她肉里,或者扭曲她的手臂。她粗暴地拉她,或把她推倒在地。

（77）"你叫什么名字？" 在觐见厅，洛夸斯·普托梅尔问女俘虏。
"德佳·托丽丝，是赫里安的莫斯·卡杰克的女儿。"

（78）"你们这次探险为了什么？"他继续问。"从事科学研究。是
我祖父组织的。我们要重新绘制气流图和进行大气密度的测试。"

（79）"我们毫无战争准备，没有我们的科学成果，火星上就没有足够的空气和水来维持火星人的生活。尽管受你们干扰，我们还是坚持做。"女俘虏对大家这样说。

（80）一个青年武士跳下台，在女俘虏脸上打了一下，把她打在地板上，还在她身上踩了一只脚。在场的武士都很高兴。

（81）我吼叫着打中他的面孔，双方都拔出短剑。我逼近他胸部，腿钩住他手枪托，左手抓住他的獠牙，右手捶他的胸。他流着血死在地板上。

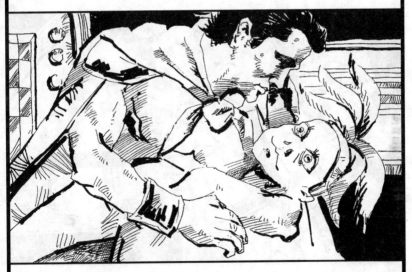

（82）我抱起德佳·托丽丝，把她放在凳子上。我从斗篷上撕下一条绸缎，止住她鼻孔流血。她把一只手放在我臂膀上。

（83）德佳·托丽丝问我，为什么要救她，她说，你和绿火星人是一伙，为什么反把自己的同伴杀死？

（84）我老实告诉她，我也是俘虏，是地球上美国弗吉尼亚州人，名叫约翰·卡特。

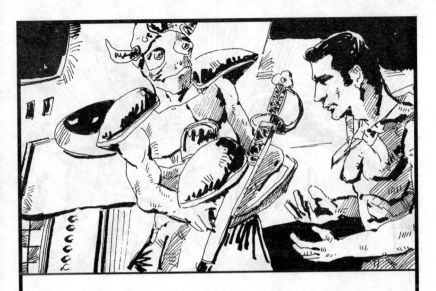

(85)一个武士打断了我和德佳·托丽丝的谈话，把被我打死的武士的武器、装备和装饰物拿给我，我还得到了他的服饰和地位。

(86)"你在哪里学会了讲巴尔苏姆语？"塔斯·塔卡斯说。"这都归功于你，"我回答，"你为我提供了一个非凡的女教师——索拉。"

（87）塔斯·塔卡斯告诉我，只要塔尔·哈贾斯赏识，我就能得救，为他服务，成为真正的撒克人。

（88）听了塔斯·塔卡斯的忠告，我告诉他，我一切听从他的指示。

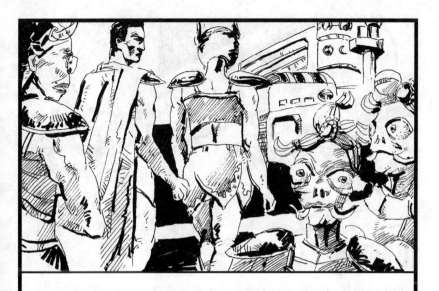

（89）我帮德佳·托丽丝站起来，不理睬监视她的恶妇们及首领们询问的目光，和她一起向门口走去，后面跟着忠实的索拉。

（90）我和索拉帮德佳·托丽丝找到了新的住所。这幢建筑华丽，精心雕刻的金属床用巨大的金链条悬挂在大理石天花板上，墙上装饰非常精致。

（91）德佳·托丽丝拉住我问："弗吉尼亚这个国家在哪里？""我来自另一个世界，"我高兴能和她对话，"那是大行星地球，我能为你服务，我感到高兴。"

（92）她笑着站起来，"我不理解这一切，我看出你不是巴尔苏姆人，但我为这事伤透脑筋，我相信你。"

（93）我对她的行为感到奇怪，问道："既然你熟悉地球的事情，为什么认不出我是地球人呢？"

（94）对我的问话，她感到好笑，她告诉我，每个与巴尔苏姆相近大气条件的行星和恒星上，都有和地球人外形相似的动物。地球人都穿奇装异服，而我被撒克人发现时，赤身露体。

（95）我和她一起欣赏大楼建筑和装饰。这些建筑的主人在几十万年以前，可能很兴旺。他们是她种族的祖先，他们和火星上另一大族黑人及当时同样繁荣的红黄色人种混合了。

（96）古代火星人是高度文明的人种。为了适应新环境饱经沧桑，不但发展和生产停止了，而且档案、记录和书籍彻底湮没了。

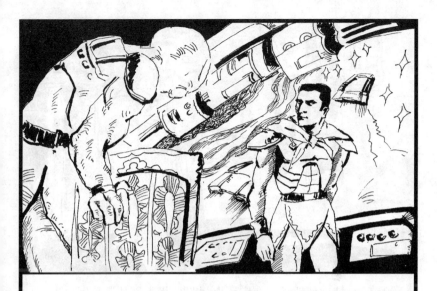

（97）我和德佳·托丽丝正在交谈,洛夸斯·普托梅尔派人来叫我到他那儿去。

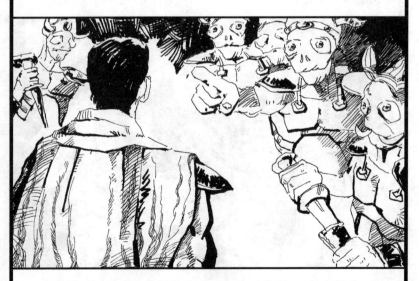

（98）我来到洛夸斯·普托梅尔面前,他对我说:"有人报告,你正策划和一个异族囚徒逃跑,上述指责成立的话,足以判你死罪。一回到撒克,你就会受到审判。"

（99）我心情忧郁地徘徊在广场上。塔斯·塔卡斯从觐见厅出来，向我问候，并问我住在哪里，我告诉他要单独住，地方还没有选好，他要我住到他住的三楼去。

（100）我在三楼选了个房间，离德佳·托丽丝较近。一些年轻女人给我带来武器、服饰、珠宝、炊具、食物、饮料。这些原都属于被我打死的首领的。

（101）火星人交配只是为了部落的利益，与自然选择无关。首领委员会控制后代的繁衍。

（102）塔斯·塔卡斯把撒克人的习俗和战争技艺教会我，还教我驾驭牲畜。我从被杀死的武士那里获得两匹作为坐骑的牲畜。

（103）我向塔斯·塔卡斯讲述了训练战马的技术，他让我在大首领和众多武士面前介绍。这对提高作战能力起了巨大作用。大首领授予我巨大的金环作奖赏。

（104）我来到德佳·托丽丝跟前，她担心再也见不到我了，因为萨科贾欺骗她，说我成了真正的撒克人。

(105)"他们千方百计将我们分开，"她忧愁地说，"他们命令我到地下室去，混合镭粉，制造炮弹。""他们折磨、污辱过你吗?"我担心地问。

(106)"并不厉害，"她回答说，"我是国王女儿，我的祖先可追溯到第一条运河的建造者，而他们连自己的母亲是谁都不清楚。他们将怨恨发泄在我们身上。"

（107）天黑了，我和德佳·托丽丝在两个月亮照亮的巴尔苏姆大道上散步。地球睁着她明亮的绿眼睛俯视我们，整个宇宙，仿佛只有我们俩人。

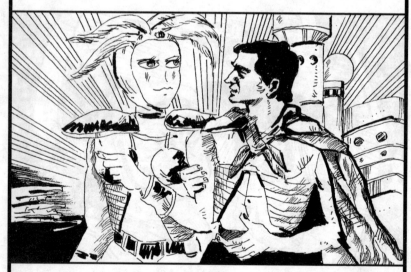

（108）寒冷袭来，我把丝绸披在她身上。我的手碰了她一下，一阵颤抖传遍全身。我的手臂放在她肩上的时间比披好丝绸的时间长，她没有退缩。

56

（109）在月光下，我问："为什么你一言不发？"她在我耳边喃喃着："我不久就能和你一起回到我父亲宫殿里，让他拥抱我，享受母亲在我脸上流淌的热泪和热吻。"

（110）"巴尔苏姆人也接吻？"我挺感兴趣问。"是的。父母、兄弟姐妹之间，"她若有所思地说，"还有情人之间。"

（111）"你有情人吗?"我脱口问。她沉默了。许久,她鼓起勇气说,"巴尔苏姆的男人不过问女人的私生活,除非他的母亲和他通过战斗赢得的女人。"

（112）"但是我已战……"我后悔了。她转过身,从肩上取下丝绸还给我,然后,一言不发,以女皇的姿势走向她的住所。我注视着她,没有追上去。

（113）回撒克城那天，我发现她被沉重的镣铐锁在车上。"谁干的,把钥匙给我!"我叫起来。"萨科贾认为这样合适,钥匙在她身上。"索拉对我说。

（114）塔斯·塔卡斯盯着我说:"在到达塔尔·哈贾斯总部之前,不逃跑,你可以把钥匙拿去,把镣铐扔到伊斯河里去。"

（115）路上，发现绿火星人沃胡恩部落的孵卵房，武士们砸破了门，二三个武士爬进去，用短刺刀把蛋全捣烂了。

（116）休息时，扎特向我走来，用长剑猛刺我的战马。我狂怒不已。他等在那里，我拔出长剑与他格斗。

（117）格斗拖延了行军，全部落都围着看我们格斗。在他向我刺来时，令人眩目的亮光直射我的双眼，我看不清他的来路，只好盲目地跳开，躲掉致命的剑锋。

（118）我向四周扫视，看见德佳·托丽丝像母虎一样地扑向萨科贾，击落她手中的镜子，正是她在格斗关键时刻使我睁不开眼。

（119）萨科贾镜子被打落，她青着脸拔出匕首向德佳·托丽丝刺去。这时，索拉跳到她们中间，匕首刺到了她挺起的胸膛。

（120）我回到格斗。扎特的剑锋触到我的胸。我来不及躲避，举剑向他压过去。钢剑刺进我胸膛，两眼一黑，双膝一软，栽倒在地。

（121）我很快恢复知觉。我的剑刺在扎特胸口。他躺在古老海底黄色地衣上，已僵硬了。他的剑只伤了我的肌肉。

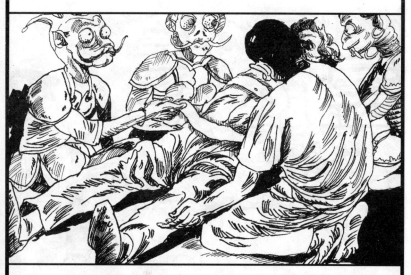

（122）我浑身无力，女人们替我敷药包扎。我到德佳·托丽丝车旁。索拉胸部扎满绷带，萨科贾的匕首刺在她金属胸饰上，造成皮肉苦。

（123）我问索拉德佳·托丽丝是否受伤,她说没有,但她以为我死了。"那就没人给她祖母的猫磨牙了。"我笑着说。

（124）索拉接着说:"我一生中只看见两个人流泪,一个是我的母亲,另一个是萨科贾。""你的母亲!"我惊叫起来,"可是,你不可能认识你母亲。"

（125）"今晚到我车里来，我把毕生从未告诉过任何人的故事讲给你听。""我会来的，"我答应道，"告诉德佳·托丽丝我活着。"

（126）在前开道的是由二百个排成五人纵队、相距一百码的武士和首领组成的骑兵部队，紧跟着的是二百五十辆装饰华丽、五彩缤纷的战车。

（127）和骑兵差不多的部队殿后，二十多人组成侧卫部队，五十头西铁特载重动物及余下的五六百匹战马，则行走在由武士组成的方阵内。

（128）男女佩带的金银珠宝，战马和西铁特戴的华丽装饰品，闪光的丝绸、皮毛和羽毛，交相辉映、耀眼夺目，这一切赋予整个车队一种粗野的光彩，形成令人生畏的壮观场面。

（129）吃完奶酪和植物液体组成的晚餐，我去见索拉。"很高兴你能来"，她说，"我的命运太惨了，没有人关心我。"

（130）她对我讲述了她的身世。她说，她母亲因身材矮小，被剥夺做母亲的权利。她常在撒克部落的小路上徘徊，或坐在山坡上的野花丛中，让思想自由驰骋。

（131）就在山坡上,她遇见一个放牧战马的年轻武士,他们经常一起相会。她等待他冰冷、刚毅的嘴里爆出指责,然而他拥抱她,亲吻了她。

（132）他们秘密相爱五年。母亲是国王随从,父亲只是一个普通武士。他们的叛逆行为,如被发现将被罚于竞技场上。

（133）我的卵放在玻璃器皿里，五年孵化期，我母亲每年来一次看我。我父亲从好几位武士手中夺取了盔甲，取得辉煌战果。

（134）我父亲很快在撒克首领中占据高位。有一天，他永远失去了保护他爱着的人的机会。他被指派去冰雪覆盖的极地远征。

（135）一去四年，当他回来，一切在三年前结束了。他刚走一年，我出壳了。母亲把我藏在古塔中，晚上来照护我。

（136）她教会我语言、习俗，还把身世告诉我，要我绝对保密。在我耳边告诉了我父亲的名字。

（137）一道闪电照亮塔楼,萨科贾站在黑暗中。她显然都知道了,是母亲每晚外出引起了她怀疑。但她不知道我父亲的名字。

（138）趁着混乱,母亲把我混到孩子们中间。这些孩子由看管者移交给别人。我们带进一间大屋子,再由没有参加旅行的妇人喂食,第二天我们分给首领当随从。

（139）母亲在一次酷刑中，在塔尔·哈贾斯和他的首领们的笑声中死去。母亲对他们说，孩子已被她杀死，但萨科贾不信。

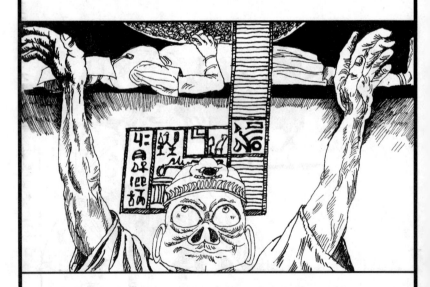

（140）父亲征战归来，塔尔·哈贾斯把母亲的死告诉了他，父亲没有暴露感情，变成冷酷的人。他在等待报复的机会。

（141）听了索拉的身世，我感动极了。我问："你父亲和我们在一起吗？""是的，"她说，"他不知道我是谁，他也不知道谁告的密。只有我一个人知道父亲的名字，知道是萨科贾告的密。"

（142）最后她深情地说，巴尔苏姆上真正的男子汉是我，她把她父亲的名字也告诉了我，叫塔斯·塔卡斯。她说，这样对大家会有帮助。

（143）我来到德佳·托丽丝身边。"准备怎么处置你的俘虏？""我不知道怎么激怒了你，你必须帮助我实现你的逃离计划。"

（144）"我不能理解你的心？"她喃喃说。"我会为你而死。"我斩钉截铁地说。

（145）我转脸对索拉说："你愿意和我们一起逃跑吗?在德佳·托丽丝那里会得到庇护。""对，"德佳·托丽丝说，"在赫里安红火星人中，你的命运比这里强，我会让你得到向往的爱。"

（146）索拉告诉我，逃脱的可能性太小，他们一直要追杀到赫里安门口。我要德佳·托丽丝给我画张草图，以便计划逃跑的事项。

（147）我让索拉带着德佳·托丽丝在城南等我，我带着我的马尽快赶上他们。可是，当我赶到会合地点时，她们不在那里。

（148）我们的计划被发现了。从现在起，逃脱的机会更小了。我必须尽快找到德佳·托丽丝，了解真相。

（149）我穿过一个个院子，来到德佳·托丽丝住处，住处四周站着不少火星人。

（150）我来到后院。德佳·托丽丝和索拉站在塔尔·哈贾斯面前。我躲在石柱阴影里，塔尔·哈贾斯说："在折磨你之前，你属于我，消息传到国王那儿，你会痛苦得在地上打滚。"

（151）他刚碰到她的胳膊，我就跳到了他们中间。我本可以一剑刺死他，但我想起了塔斯·塔卡斯，我抡起右拳把他打在地上。

（152）我抓住德佳和索拉一起跑出大厅。来到楼上，用武装带和皮带把德佳、索拉放到地面上，我也跃到地上。不一会儿，到了城市边缘。

（153）一只坐骑不行了，让德佳坐坐骑，我和索拉步行。突然德佳叫起来，她说看到一群骑兵沿山丘鱼贯而下。

（154）我们三人及坐骑急速卧倒，尽可能缩小目标，以免将武士注意力吸引过来。一个首领的望远镜对准我们，没等武士冲锋他冲了过来。

（155）我举枪射击,冲来的首领滚下马,我让索拉带着德佳骑马冲上山去。"再见了,我的公主!" 我说,"也许我们会在赫里安见面。"

（156）她犹豫着。"总得有人把这些家伙拖住,你们快走!"她跳下马,抱住我脖子:"索拉,快跑,我和相爱的人死在一起。"

（157）我第一次把嘴唇紧紧地压在了她的唇上面。尔后，我把她抱起来，放在索拉身后。我朝马猛击，让它飞驰而去。

（158）我二百发子弹不停地射击，把第一批冲上来的武士打了下去。第二批上千人疯狂扑来，我扔掉枪，朝相反向跑，武士追来，我跌倒在地上。

（159）"首领，他没死。""很好，"他站了起来，走近我。"他给我们的大赛带来难得的娱乐。"

（160）他不是撒克人。他身躯庞大。脸上、胸膛上布满伤疤。断了一只獠牙，少了一只耳朵。胸部两侧用皮带束着人的头盖骨，还吊满了干枯的手臂。

（161）"我带来了一个佩带撒克部落盔甲的怪物，让他在大赛时和野马格斗。"达克·科伐说。"如果要他死，也要按我国王的方式。"国王巴尔·考马斯用威胁口气说。

（162）达克·科伐猛扑他的国王。我第一次看两个绿武士肉搏。残忍、恐怖，他们抓对方的睛睛、耳朵，用獠牙猛砍猛刺，直到双方遍体鳞伤。

（163）巴尔·考马斯脚下一滑，达克·科伐的獠牙插进了他的腹股沟，向上一挑，穿进下巴骨，国王被开了膛，两人都倒在地上。达克·科伐当上国王。

（164）死去的国王的手和头被割下来，加入他的征服者的装饰品中。他的女人将其剩余的尸体在一阵令人毛骨悚然的笑声中焚毁。

（165）三天路程，我们到了沃胡恩城。我被关进地牢，被钉铐在地板上和墙上。

（166）出于地球人的狡黠，当狱吏送来食物，要把我铐紧时，我举起镣铐，砸他脑袋。他死了。

（167） 和我关在一起的囚犯叫坎托斯·坎，他是赫里安的海军上尉。他是遭到撒克人攻击的那个远征队成员之一，德佳·托丽丝在这次不幸遭遇中被俘。

（168）监禁期间，坎托斯·坎和我结成患难之友。不久我们被拖到大赛场地。坎说，大赛结束，只有一个囚犯获得自由，其余都处死。

（169）达克·科伐发出命令,笼门打开,12个绿火星女人手持匕首与12只野狗格斗。一片喊叫声和哭声,战斗结束,三条野狗在尸体上狂吠不止。

（170）我和男人搏杀,然后是野兽。这些决斗如小孩的游戏。我赢得他们的喝采。最后剩下三个人:北方游牧部落的一个巨大绿武士、坎和我。

（171）我发现火星人剑术的绝招。坎距这个家伙20英尺，将持剑的手臂奋力朝身后伸去，然后狠狠一掷，将剑头扎向绿武士，顷刻穿透他的胸膛，倒地而死。

（172）我和坎交战。我告诉坎，把他的剑刺向我左臂和身体之间，当他刺来时，我用手臂夹住剑倒在地上。他的剑像扎在我胸膛上。

88

（173）坎明白了我的用意,快步上前,一脚踩在我脖子上,拔出剑,朝我脖颈刺下,在最后一刹那,剑刃滑向沙土里,在黑暗中,没人看清真相。

（174）我让他离开,去寻找属于他的自由。然后到城东山丘上找我。夜里,我爬到洞穴顶部,由于竞技场远离市中心,处于无人居住地带,我轻易来到山丘上。

（175）等了两天，坎没来。有好多次，我受到野兽攻击，发亮的獠牙向我逼近，毛脸碰到我时，我想一切完了，但我一次次躲过危险。

（176）我走了很久，终于在一个中午来到一幢大建筑门口。墙洞管子里传出一个声音，询问我什么事？"我是红人的朋友，我饿极了，开门吧。"我说。

（177）门开了，又过了两道门，我来到一间宽畅的大厅。石桌上放着食物和饮料，一声命令我饮食，一声命令我喂狗，一边受到隐身主人的审问。

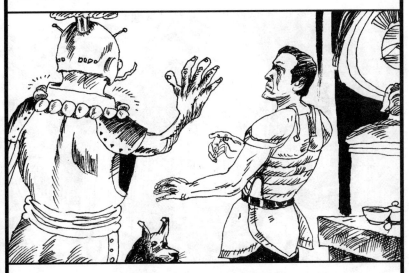

（178）矮小的木乃伊人向我走来，他挂着金项圈，餐盘大小的装饰品上镶满巨大的钻石，正中央是块奇石，射出九种光彩，七种熟悉，还有两种绝对美丽，但我不懂。

（179）屋里有一架制造空气的机器，正是这些人造空气使得火星上的生命得以延续。有二十个镭泵，每个泵足以为火星人提供大气。木乃伊老头已在此看护八百年了。

（180）火星人在幼儿时代就学习制造大气的原理，但在一定时期内，只有两人知道如何进入这个巨大建筑物的秘密。他们担心工厂会遭到绿火星人或者发狂红火星人的攻击。

（181）我发现，墙上的几道门是由心灵感应术操纵的。面对巨锁，我全神贯注，猛然间，我发出九个思维波，大门向我移动，滑向一边，其余的大门也一一开启。

（182）我在好客的红火星人那儿度过几天，启程时，他们送我一头家养的小公马，还给我红油脂，涂满全身，还把我头发剪成流行式样，在我的袋里装满佐丹加货币。

（183）离开普托三天后，我到了佐丹加。穿过广场时，我遇见坎。他来佐丹加三天，还不知德佳·托丽丝在哪儿。

（184）吃过饭，坎带我去指挥部，把我介绍给他上司，要我也加入飞行侦察部队。以后几天，坎教我复杂的飞行技巧以及如何修理他们的飞行器。

（185）我飞了二百英里，看见有三个绿武士飞快地冲向一个小个子。我用小飞机撞死跑得最近的武士。要不是及时赶到，他眨眼就要倒霉了。他真诚感谢我的搭救，他是佐丹加国王的堂弟。

（186）我赶到飞机前，帮他修理。快修完时，两个绿武士又追来，我先刺死一个，佐丹加人与另一个武士搏斗时受伤摔在地上。我跳过去，一剑刺死了他。我们一起飞上天空。

（187）他驾机紧靠我边上飞着，建议我去看嘉奖典礼。所有的人骑在驯化的矮公马身上，他们的服饰和装束有那么多色彩美丽的羽毛。

（188）小飞机降到地上，我像其他人那样走上前。塞恩·科西斯说道："你保护国王堂弟以及消灭三个绿武士所表现的非凡勇气和本领，国王将这枚象征他敬意的勋章授给你。"

（189）我开始履行职责，房间对面一头的挂毯拉开了。德佳·托丽丝站在离我不到十英尺的地方。

（190）"公主两天前明确对我说，要嫁给塔尔·哈贾斯而不嫁给我儿子。"塞恩·科西斯说。德佳·托丽丝带着笑说："两天前，我不能确信他的爱，现在我相信了。我将同您儿子萨布·塞恩结婚。"

（191）不久前，还向我表露过爱，就这样轻易忘却了我的存在。我找到她房间，要她当面对我讲清楚。

（192）"塞恩·科西斯派来的人都有口令，你要通过必须说出一个口令。"门卫说。"这是我唯一口令。"我扬着剑说。

（193）四个士兵挡我的路。我迅速一剑，只剩三个对手，我又刺倒第二个，第三个在第二个不到十秒也刺倒了，最后一个也躺在血泊中了。

（194）我走近火星公主。"你是谁？"她低声问，"又一个敌人在我不幸时来伤害我吗？""我是你珍贵的朋友。"我说。

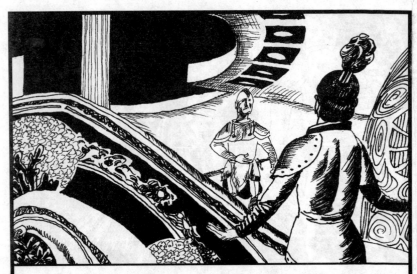

（195）"赫里安公主的朋友没有一个穿这种金属服装的，"她答道，"我以前听过这声音，但他已死了。""我的公主，"我心痛地说，"难道你记不得你主人的心吗?"

（196）"晚了，"她哀声叹道，"你早点回来的话——现在太晚了。""你是说如果你知道我活着，你不会嫁给佐丹加王子吗?"

（201）有人朝这走来。我赶快奔到阳台上，跳到玻璃墙顶上。从那儿越过皇宫的院子，跳到大路上。

（202）我把钩子甩到楼顶上，试了几次，终于勾住了屋檐。我拉钩子，使它勾得牢些，我挂钩子的屋檐顶部颤动着，钩子勾牢了，我脱险了。

（203）我迅速向上爬去，抓住了屋檐，爬上了屋顶。在那儿站岗的武士的枪口对准了我。

（204）乘他不备，我掐住他喉咙，把他摔在屋顶上。我堵住他的嘴，将他捆好吊在屋顶边上。

（205）我飞跑到飞机库，拉出我和坎的飞机。把坎的飞机固定在我的后面，不到一分钟，我安全降落到我们住处的屋顶上。坎在旁边大吃一惊。

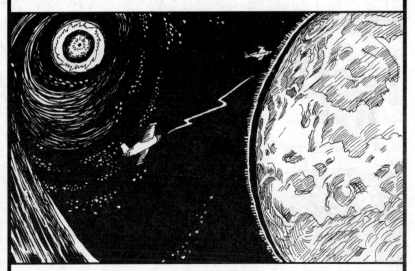

（206）我飞到赫里安去，坎到皇宫干掉萨布·塞恩。我飞近高塔，一架巡逻机命令我停下。我不理它，他向我开火。坎消失在黑暗中，我高速穿过火星天空。

（207）我刚庆幸自己能逃脱,巡航机的一发炮弹在我机头爆炸,我的小飞机在夜空中坠落下去。

（208）我终于控制住下降,飞机又上升了。追捕我的飞机,已远远落在我后面。我发现罗盘和计时器打坏了,我无法找到赫里安城标记。

(209)突然一发炮弹把我的小飞机击毁了。我掉在一个正与三个对手搏斗的大怪物身边,我认出他是塔斯·塔卡斯。

(210)沃胡恩人向我们逼来,我俩勇猛拼杀,直到战局大转。沃胡恩的残兵败将逃入夜色中。一万人参加了大厮杀,战场上躺着许多尸体。

（211）打完仗，我去塔斯·塔卡斯住所。他去参加战后总结会，我留下来。一只怪兽扑到我身上，它背着我来到丝绸和皮毛堆上，它是忠实的伍拉。

（212）吃饭时，我把索拉在海底告诉我的事对塔斯·塔卡斯说了。我建议去见塔尔·哈贾斯之前，先找萨科贾谈话。第二天萨科贾逃走了。

（213） 我们到达城堡。国王塔尔·哈贾斯和他的卫士马上围了上来。"把他绑在那根柱子上。"国王尖声喊道。

（214）"要公正，"塔斯·塔卡斯喊道，"你把撒克人长期以来的习俗置之不顾。""对，要公正!"十几个人跟着喊。

（215） 我揭露了国王的丑恶嘴脸后说："撒克人的真正首领是塔斯·塔卡斯。"

（216）塔尔·哈贾斯拔出长剑刺向塔斯·塔卡斯。塔斯·塔卡斯奋起迎战。搏斗很快结束了。塔斯·塔卡斯脚踩丧了命的国王，成了撒克人的国王。

（217）他干的第一件事，使我成为全羽首领。我抓住时机建议他们攻打佐丹加。他们都同意我的建议。

（218）我们向佐丹加进军，很快打开城门。我随即带一队武士进了皇宫。我看见觐见厅灯火辉煌，大厅里挤满贵族和夫人们。德佳和塞恩·科西斯马上要结婚了。

（219）我可以像弄死苍蝇那样干掉塞恩，但巴尔苏姆古老的习俗使我住了手。当他的剑刺向我心脏时，我抓住他手腕，用长剑指着远处，"佐丹加完了，"我高喊，"瞧!"

（220）我看见塔卡斯的长剑一挥，脚下倒下一打尸体。他杀出一条血路，活下来的只有撒克人。佐丹加人没有一人逃生。战斗结束，萨布•塞恩死在他父亲身旁。

（221）血战结束,我领着十二个武士到皇宫地牢,找到了坎,救出了坎。

（222）德佳脸上出现美丽红晕,"你现在可以说那句话了,我也可以听你说了,因为我不受约束了。"说完她站起来把手放在我肩上。我把她抱在怀里,亲吻着。

（223）我们立即启程，向围攻赫里安的佐丹加舰队发起进攻。战斗很快以我们的胜利结束了。

（224）我们向赫里安旗舰发出信号，告诉他们德佳公主在我们船上，我们希望把她交给旗舰带回城里。

（225）塔卡斯命令部队前进，我们由东、南、北三个方向向佐丹加陆上营地摸去。传来激烈的枪炮声，没过多久，佐丹加军队被碾得粉碎。

（226）赫里安国王第一个接见塔卡斯，他说，"能见到巴尔苏姆最伟大的战士我感到莫大的荣幸，能向朋友致意是我更大的快乐。"

（227）他把双手放在我肩上，"欢迎你，我的儿子，为表我的敬意，我授予你赫里安国土上最珍贵的宝石。"

（228）三周后，我与德佳成亲。作为王室驸马，我在议会和军队服务了9年，各种荣誉加在我身上，公主受到她人民的爱戴。

（229）直到有一天，一艘飞船闪着白光向我们飞来。飞船到后十分钟，我被召进了议院。"巴尔苏姆上的气压急剧下降，引擎已停止运转，我们至多还能活三天。"公主说。

（230）"我的公主，"我喊道，"为了您的爱，我一定会找到办法！"那九个被遗忘的音符在我的记忆中出现了，它们正是开启大气工厂三扇大门的钥匙。

（231）我吻别德佳，驾机高速飞行。我的使命是从死神手里夺回时间。"如果我能打开大门，是否有人能启动引擎？"我向守候在门口的人。"我能。"其中有人高喊。

（232）猛然，我发出那九个思维波。慢慢地，巨大的门在我们面前退缩，"跟着它，"我向周围伙伴喊，"巴尔苏姆要生存，这是唯一的机会。"我跪在原地打开第二、三道门，当我爬过第三道门时，我失去了知觉。

（233）当我睁开眼时，看到的是一个崭新的天空，一片崭新的原野。我又回到了地球！10年前，我正是在这里凝视火星。

（234）我发现金矿原封未动，它让我难以置信地富有。每年的这一天，我都会独自来到这座山冈上，凝望苍天，缅怀我的火星岁月，以及我的火星公主……

编文　刘晓宁　林真平

绘图　许海涛　谢庄

　　　陈国华　毕世鹏

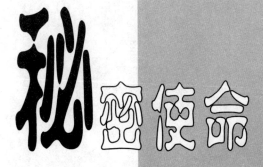

（1）杰里·梅森背上背着军用包，藏在地沟里。这个在俄国呆了两年多的美国间谍，决定踏上自由的归程。

（2）他爬出地沟，爬到哨塔木架下面。他俯卧在离哨兵不到十米的下方。

（3）他从干粮袋里抽出钳子，又从口袋里拿出铁丝，戴上橡皮手套，把铁丝接上主线，然后用钳子铰断了已不带电的铁丝网。

（4）他不断扩大铁丝网缺口，并牢记探照灯的锥面，放好手枪。

（5）两个哨兵在闲聊。机会来了，等着刺目的光柱滑过去，他越身钻过铁丝网洞，越过伐尽林木的死亡地带，跑到了那救命的灌木丛边。

（6）他一口气走了十几公里后，稍事休息，一边啃面包，一边查看地图。他确定自己已经在芬兰境内了。

（7）花了三百美元,梅森让一个芬兰人乌尔夫·拉弗勒尔从芬兰一直带到了瑞典。三天后他站在他的联络上司斯文·阿斯木斯家门前。

（8）"您想离开?您不打算报告美国中央情报局?"阿斯木斯加重语气说。"我不能告诉你,但我可向您保证,我离去绝不是针对您,也不是针对我的国家。"梅森说。

(9)他花了二千美元,向阿斯木斯买了本用了假名的假护照。

(10)梅森用的假名是弗里茨·米勒。他穿过丹麦驰向汉堡,又换上了去巴塞尔的火车。他箱子里藏着两块铁板,是世界上最有价值的秘密。

（11）他来到德国，找到大学同学汉斯·海德尔，他们已12年多没见面了。梅森开门见山，说想在附近山里买块地，盖间房子。

（12）汉斯告诉他，在离住房半小时路程的森林里有块地皮，中间还有小溪淌过，每个周末他都在那里度过。

（13）梅森打开箱子，在汉斯面前摆出两块芯板。一块颜色暗些，沿着边上有两条导轨。汉斯不明白它究竟有什么用处。

（14）梅森把那块较小的板放到较大的板上面，并开始把它推入导轨，看上去，他手里拿着的只是一块板了。

（15）他拿板的手移近烟盒，一直到它的正上方。烟盒从桌上升起，朝板的方向飘去，它在板上挂住了。

（16）梅森把呈铜色的板从导轨抽出少许，烟盒降下，在桌子上空飘停住。他把板分开，烟盒呼地落在地上。

（17）梅森告诉汉斯要建造至今世界上还没有的一种交通工具，像一个铁饼，圆而扁平的飞碟。在某种程度上是试验物体。

（18）梅森把手放在朋友手臂上，告诉他，他们将是借助飞碟登月的首批人。但汉斯觉得达不到每秒 11 公里，而梅森说，速度可以随心所欲。

（19）汉斯觉得不可思议，他说，为什么俄国人和美国人还没想到造一艘宇宙飞船，如果他们掌握着整个宇宙的能量，为什么还为那些老式的液体火箭大伤脑筋。

（20）梅森告诉朋友，如果他们秘而不宣，那我们正好可能就是首批在那里正式登陆的人，为此干杯，汉斯拿起了他的杯子。

（21）购买制造屏蔽板必不可少的各种金属和元素最为困难。但在这方面汉斯很有办法。他认识神通广大的人物,愿意帮他实现一项新的实验。

（22）工作缓慢展开,两人都想避免起疑。首先他们紧靠森林别墅盖了一个木棚,里面堆起了整箱零部件。

（23）一天下午，门一下被推开，一个男人踏进屋，随手掩上身后的门，立在原地。陌生人着登山服，他摘下帽子。梅森认出这张脸，似曾在那儿见过。

（24）他自我介绍，叫瓦佳·佐勃罗夫。是那个梅森从中窃取那两块芯板的试验场的研究人员。"我知道你把两块板带出去，我没阻止。"

（25）"但是……您终究是俄国人？""那又怎样？您是美国人，不是也没有履行您的职责吗？"

（26）"您怎么会找到我？""我在您之后几天离开故乡，在阿斯木斯那里得到您的地址，这花了很多钱，不过我带了足够的钱来参加你们的行动。"

（27）"您指什么行动？"这个俄国人哈哈大笑。"月亮行动，梅森先生。"梅森还是疑心重重。

（28）佐勃罗夫从胸前口袋掏出一个厚纸袋，里面包着图纸，这些图纸包括对飞行体最优外形和屏蔽板安装的计算，"我在受秘密警察召用前是天体物理学家，你们需要我。"

（29）"秘密警察？""是的，我们是同行。"俄国人笑着，"退休了的同行。"

（30）"我不知您的动机是什么？""我的动机与你们一致。我对宇航感兴趣。我不接受战争的必要性，同样也不接受对其他民族或政治体系的憎恨，我们登上月球，各民族会忘记他们那些可笑的问题。"

（31）人迹罕至的木棚里慢慢地出现了飞行体的框架，它由抗压舱组成，里面有壁柜，有观测窗，有操纵装置和检测仪表，屏蔽板根据精确的计算合理地装在金属外壳周围。

（32）宇航员在几秒内就让飞行体飞向所希望的方向，得到希望的速度。在充分利用宇宙辐射场的情况下，可以加速到大于每秒15公里的速度，最高速度可达到每秒三十万公里。

（33）他们以为事情进行得十分机密，但还是被人盯上了。一个叫史密斯的英国人找到汉斯，自称掌握了他们的秘密。

（34）汉斯把他领到乡间别墅。"我们这儿没有你需要的东西。"梅森说。"别骗我！我跟踪汉斯很久了，知道你们在干些什么！"

（35）"您还没告诉我们您的身份？"梅森说。"这你别管。如果我们不能合作，我想我会通知国际刑警的。"史密斯威胁说。

（36）梅森开口笑了。"您请！那里就是电话。"当梅森站起身时，史密斯面容失色。"小心，"他警告说，并把右手伸入外衣口袋。"我手枪的枪口正指着您，请您坐下。"

140

（37）梅森听从了，紧闭双唇注视对手。"您的条件是什么？"他问。史密斯满意地笑了。"这听起来好多了。我想得到这个发明。你们想造件新式武器？"

（38）"当然不是。我们造一只宇宙飞船。我们将克服地球引力飞向月球……""一只宇宙飞船？"史密斯惊愕地打断他的话。

（39）史密斯不信。汉斯打开门在前头引路。他几乎惊呼出声，因为对面门后站着佐勃罗夫。他显然在窗外偷听了讲话。

（40）三个男人到了棚屋，棚屋非常低矮。但当汉斯打开大门时，史密斯一眼就看出，里面的地方远比从外看到的大得多。棚屋中间停着一个飞碟。

（41）史密斯边把手枪对着海德尔和梅森,边后退着朝飞碟靠近。梅森突然伸手把装在那里的一个手柄往下摁去，一瞬间史密斯起了一个闪电般的变化。

（42）英国人脸上露出了愤懑的惊惧,他在空中乱舞双臂,试图抓住支撑物,但他没有扔下手枪。

143

（43）响起枪声。门边站着瓦佳，他击中了史密斯拿枪的手。史密斯愤怒地摇动着右手，他的武器不见了。

（44）史密斯继续手舞足蹈。梅森拖来梯子，但太迟了。英国人到达危险的极限，转瞬间恢复了他的自然体重，于是带着一声骇人的惊叫坠落下来，摔死在地上。

（45）为了避免再出现意外,他们决定提前试飞,然后装上储备,检查一下空气调节装置,给它起的名字是"我们各自国家名称的开头字母:ARS"。

（46）他们把史密斯尸体放到一块板上抬了出去。他们没有注意到树后飞快地闪过一个阴影,同时也没听到一架窄胶片摄影机轻微的嗡嗡声。

145

（47）装配棚屋的屋顶已撤去。史密斯被装在棺材里躺在乡间别墅地窖里，今天会运走，因为海德尔已给警察局打电话，说他在自卫中打死了一个入侵者。

（48）梅森慢慢地把一个黄色操纵杆向下按去。圆盘几乎难以察觉地离开地面，飘向高处，一会儿升到树梢的同一高度。梅森又按了一下，开始加速，他们感到体重轻微上升。

146

（49）六天后，ARS 在离月球表面不远的高度滑入。三个人看着近在咫尺的月球，随时可作为首批登月人着陆。

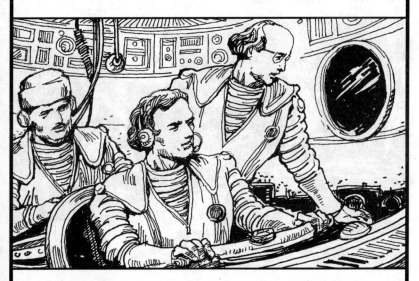

（50）他们又到了一个"月海"的平面上空，这时海德尔发出了一声令人窒息的叫喊。他激动地指着下面，尽管那里已经什么也看不见。

（51）"一枚火箭！我看到一枚火箭，转回去，梅森！在环形山中躺着一枚火箭！""你搞错了吧，汉斯！你大概把许多岩石中的一块看成了火箭。"梅森笑着说。

（52）但梅森还是减低速度，紧贴环形山飞过。汉斯呼吸加快了。瓦佳冷静地说："海德尔是对的！下面躺着一枚火箭，它像是坠毁了，我好像认识这个型号。"

（53）ARS 悬垂在火箭残骸的附近，只见火箭的头部深深地钻入了山地。火箭看来经历了一次相当困难的着陆。

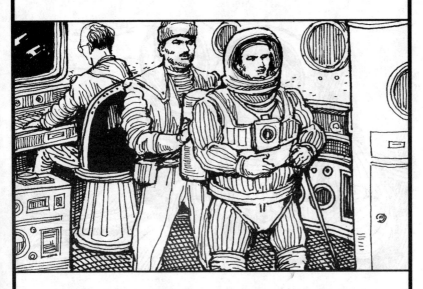

（54）梅森在壁柜里拿出弹性宇航服，佐勃罗夫拿来氧气瓶把它绑在身后，一根导管与搪瓷珐琅头盔连接，头盔中有收发报装置。

（55）三个人一前一后走向火箭。现在看清楚了，这是一枚不载人火箭，里面有一面苏联国旗，月球成了俄国领土。

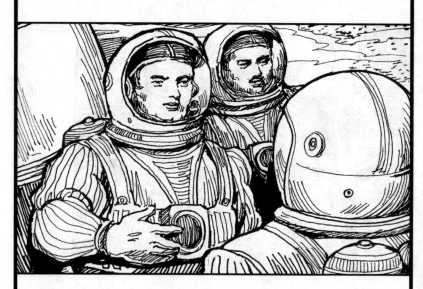

（56）杰里想寻找残骸裂缝，但没有找到。他对海德尔说："我们必须让这东西消失。""为什么？"海德尔诧异道。

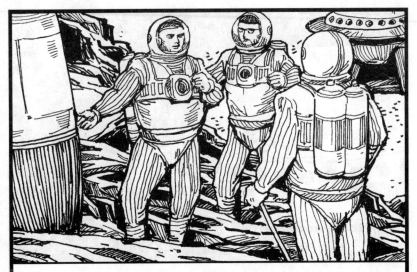

（57）"为了让月球保持中立。"梅森说出自己的想法。"完全对，"瓦佳也表示赞同。"我们用钢索把残骸系在 ARS 上，把它拖入太空，给它必要的推力，让它向太阳方向飞去。"

（58）半小时后，ARS 慢慢地上升，带着吸附在屏蔽板下的苏联火箭。梅森加速，直到月球远落在后面。

（59）海德尔进入过渡舱，解开钢索。残骸以原速飞向远方的太阳，而 ARS 则划了一道弧线飞回月球。

（60）他们着陆后，在环形山上插上两面旗。一面是瑞士的十字，另一面是蓝绿色地球。它们象征月球为整个地球人类拥有，将永久地存留在这儿。

（61）既然已来到月球，他们想利用这个机会，在月球上散步。梅森留在舱中。他们走近一块向天空突起的岩石，慢慢又走向一个大峡谷的入口处。

（62）瓦佳突然不见了，他站的地方空无一人。刚才他还站在海德尔不远处。瓦佳气化了，尽管在月球上根本没有空气。

153

（63）海德尔与留在舱内的梅森取得联系，于是他们一起寻找失踪的俄国人。梅森捡起地上约二十厘米长的银色圆柱体，不知是什么物件。

（64）美国人看到了地上的脚印。两种不同的脚印并排在一起，通向岩洞。脚印并非一直清晰，瓦佳穿着铅底的登月靴，陌生者的脚印平而圆，像大象的脚印。

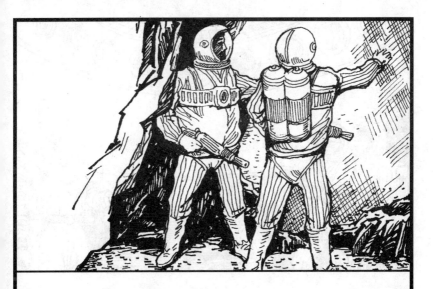

（65）在刚才捡到的"电棍"隐约闪光中，两人进入洞口，握紧武器准备开火。突然碰到一堵完全平直的墙挡住去路。

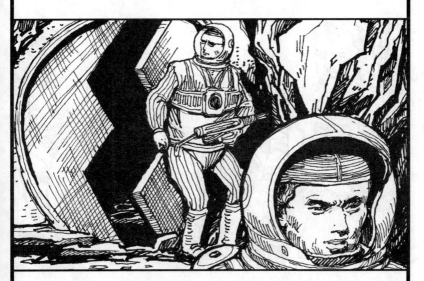

（66）梅森把岩石向金属墙扔去，石头碰碎，金属墙没留痕迹。响起有规律的嗡嗡声，墙开始活动，移入两边岩石。洞门打开，他们走进去，入口重新关闭，他们惊呆了。

（67）前面三米处是第二道墙,梅森用枪托猛击墙,又响起嗡嗡声,墙滑到边上,打开了道路。他们同时惊呆了,那儿站着瓦佳。

（68）宽敞的圆形房间里,俄国人微笑着迎接他们,他穿着连衣裤,宇航服已脱下。黄色的光芒四处射出,毫不耀眼。

156

（69）这个基地不是美国人，也不是俄国人建造的，而是来自另外一个太阳系的异星人建造的。

（70）瓦佳见到了基地的一个异星人。他们没有说话，但异星人的思维径直闯入他的意识，能理解他。

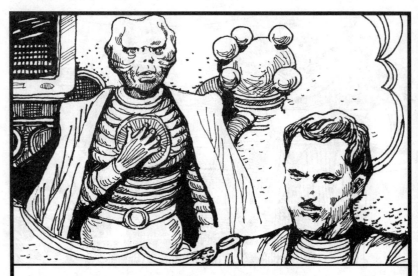

（71）瓦佳说："异星人几乎像人，他的皮肤亮而透明，眼睛杏仁状，额头左右有两个触角，是发送心灵感应的天线。脚圆圆的，像蹄子。"

（72）这时，周围发出熟悉的嗡嗡声，墙移开了，光着蹄子穿红色长袍的异星人走了进来。梅森和海德尔同时拿起武器。异星人挥动银枪，俩人同时感到四肢僵硬发麻。

（73）痉挛消除，武器落地。他们的脑海里出现了提问："你们人类为什么见到我们总要惧怕？我叫那塔斯，是基地现任指挥官。"

（74）为了免去民族灭亡的命运，异星人建立了这个基地。在他们的银河系中，这样的基地有好几万个。人类世界的居民需要得到特别的关照，因为他们生性好斗、好战。

（75）异星人居住的星座离这儿四十万光年，在这个银河系之外，但他明天就能回去，而人类却需一千年。

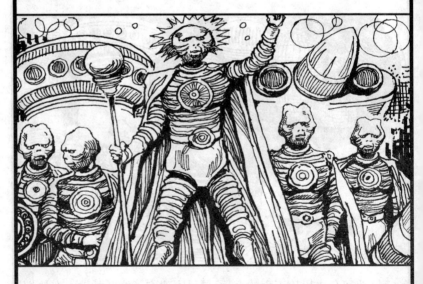

（76）异星人不知道由于年老力衰的肉体死亡，他们是不朽的。别的民族不是这样，所以必须受到保护。

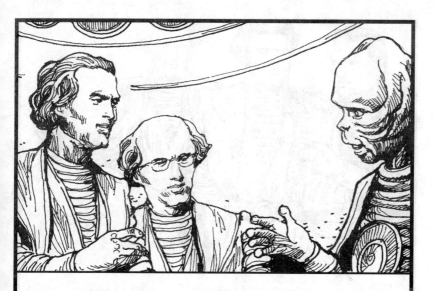

（77）"谁引起了星际大战？大概是你们？"梅森愤怒地说。"正因为如此,我们今天有权力阻止下一场战争。"异星人发出思维波。

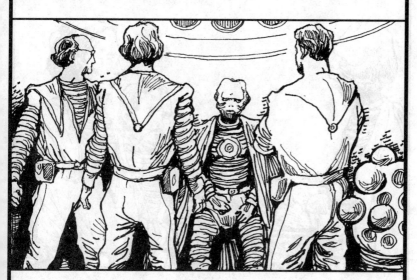

（78）"我可以强迫你们留在月球上,但没意义。你们自由了,离开月球！"异星人思维脉冲强烈而清楚。"这是我们人类的月球,"梅森激动地说。

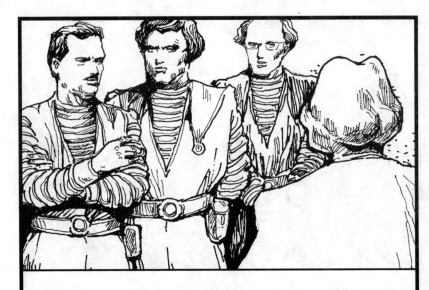

（79）"这个基地有多少人？"瓦佳近乎无聊地问。"我们中的四个足以对付这个太阳系。"异星人那塔斯轻蔑地答道。

（80）那塔斯看了一眼梅森："我们比你们强大，你们没有对付我们的武器。没有能把我们置于死地的武器，火器反使我们得到能源。"梅森试探地说："死亡对你们很可怕？"

（81）那塔斯承认："谁能打死我呢？在这个月球上，只有四支这种银色辐射枪，它们在我们人手里。""汉斯，拿走他的银棍，这玩意能杀死这魔鬼。"

（82）"我对人类的判断不对吗？"那塔斯愤懑地想。"你们将不能再干涉我们地球的事务，那塔斯，你必须死。"梅森说。

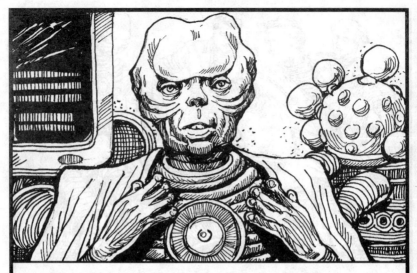

(83)"他们想阻止我们地球人想得到的东西。留你们回去,你们会带着毁灭性优势,卷土重来。""你打死我,我们的民族将会进行可怕的报复。"那塔斯说。

(84)那塔斯明白自己落入了圈套,他闪电般转身跃向近处的控制台,他的手伸向一个手柄。梅森按动辐射枪,几乎觉察不到的光束攫住了那塔斯,一个不朽者死了。

（85）门开了。两个异星人举着武器冲入，还没来得及按武器就倒下了。第三个跳了回去，他移动极快，梅森急忙追上去，但墙在逃跑者身后关闭了。

（86）梅森看到一点亮点，是通道了出口。他加快脚步，看到一个黑影，他在通道终点处等待着。

（87）他在月球表面搜索，徒劳无功。发现了异星人逃遁的船，这是个球体。在不到两百米处垂直升空。

（88）球体以不断加快的速度向空中射去，速度越来越快，几秒钟就消失了。

（89）他们懊丧地折回洞里，在返回地面前再次仔细搜查了整个基地。氧气储备不多了，十分钟后，他们已坐在 ARS 中的气垫上。

（90）一艘飞船从天而降。三个朋友呆呆地望着降下的飞船，束手无策。船内乘员一定早发现了他们的船，逃走根本不可能。

（91）那艘飞船的舱门开了。一位俄国指挥官脸上露出善意和欢迎神色。没等梅森脱下宇航服并把金属棍塞入连衣裤口袋,他就伸出双手迎接。

（92）梅森告诉他,地球人类永远不能成为首批登月者了。来自宇宙的陌生智能生物已经在月球上建了基地。异星人如果发动进攻,只有统一的人类才能对付他们。

（93）梅森接着说，外星人在月球上已存在数百年，它负有监视甚至控制人类发展的任务。他们来自银河外的一个太阳系，离我们40万光年。

（94）梅森领着沃洛什诺夫，穿过通道，进入基地，没费多大力气通过内部装置的阻碍，最后来到指挥中心。

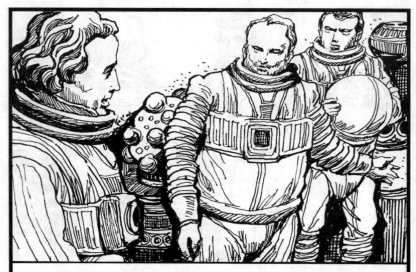

（95）"那儿是屏幕，"梅森解释道，"通过这个来建立通向异星人家乡世界的联系，这是不可思议的。""不目睹这一切，我不会相信你的话，"沃洛什诺夫说，"开辟宇航时代的时间非常紧迫。"

（96）正当沃洛什诺夫与梅森看完基地，重新走上月球表面时，美国宇宙飞船月神号也着陆了。他们已通过无线电得到这个消息，于是便急急离开基地。

（97）瓦佳离开飞盘,迈着僵硬的步子走向着陆的宇宙飞船。这艘船外形象一个常规火箭。它水平地降落这个事实证明,其动力系统是由屏蔽板组成的。

（98）见了面,瓦佳发现他和美国宇航员杰克认识,他是情报人员。在华盛顿时,他们相遇在一个十分难堪的情况下,由于敏捷,瓦佳才没有被杰克抓住。

（99）杰克呻吟："月球在苏联人手里,不可思议！"瓦佳强调:"月球是中立的,它不属于俄国人,也不属于美国人。"

（100）"少校！我是杰里·梅森。第十三号间谍。我在月球洞里,您来看看。"

172

（101）对外星人遗弃的月球基地参观之后，杰克少校和他的部下留下深刻印象。俄国人与美国人开始谈判，他们愿意携手合作。

（102）两国代表承认月球为一切时代的中立地区，接受禁止在这地球卫星上建立军事基地的禁令。在中立国瑞士监督下，建立科学站。

（103）漫长的两千年过去了。人类已经开始开发宇宙星系。人类把动植物、机器和技术带到一些星球上，这就是"大地"计划。

（104）"大地七号"指挥官和"总督"本逊接到地球总部通知，又有几位专家被派往"大地七号"工作。

（105）海伦·吉尔在月球试验室工作多年，在火星上获得博士学位，她致力于宇宙中的植物世界研究。她来到"大地七号"，为普及植物生长创造条件。

（106）本逊向机器人威廉介绍新来的指挥官梅尔顿和富克斯少校以及海伦·吉尔，让它忠实伺候他们。

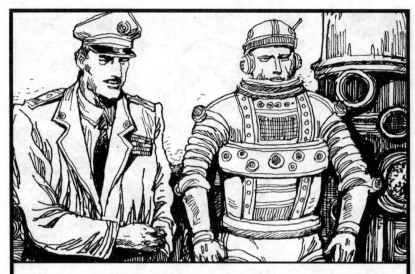

（107）本逊对梅尔顿说，机器人自己造机器人，它们外表像真人。它们通过生物添加物可以办成一切事，它们有人类的外貌，而且还具有理智。

（108）来到基地，富克斯少校向机器人Ａ—17号了解基地防御、食物储备等情况。Ａ—17号是个头发灰白的老人，是宇宙搜索和观察部门的指挥。

（109）女博士从地球带来的植物种子和幼苗在基地长势喜人。除了花朵，还有卷心菜和其他蔬菜。当新鲜生菜放在富克斯面前时，他才想起这个女伴。

（110）在星际飞行中，出现了时间扩张的结果。此后人们着手解决这个问题，并找到了解决方法，即时间的中和。今天，千倍于光速也是可能的。

（111）富克斯少校要 A—3 号机器人介绍本逊建立的防御系统情况。A—3 号告诉他，这是一种死亡远距传物，它能达到任何点面。在一秒钟内毁灭一个离我们三百光年的目标。

（112）红宝石二号是地球的一个要塞。它离地球二十七光年。十个机器人和本逊少校负责在那里建立远距传物炮。在红宝石二号和地球之间有天狼星的行星——大地七号。

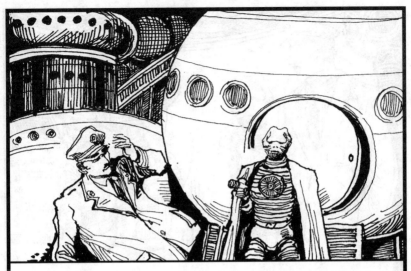

(113) 本逊没想到会出现灾难。凌晨,一个球体飞行器降下来,走出一个未穿宇航服的异星人。不等他防备,异星人亮光一闪,光柱击中了他,他闭上了几乎已灼伤的双眼。

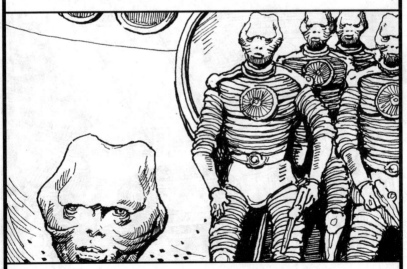

(114) 这个异星人就是当年从月球逃走的克许特尔,现在他带人报复地球人来了。他不知道,他这一去一回,地球已过千年。

179

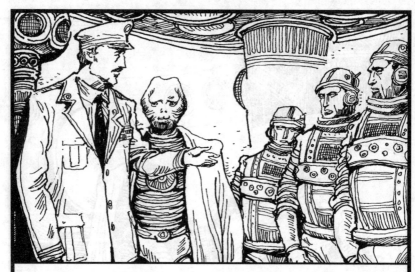

（115）异星人控制了指挥官的思维，让他下令："红宝石二号移交给移动星云的智慧人，他们立即是这个世界的主人。我是基地指挥官。"

（116）本逊已被麻痹，他带领克许特尔去基地控制中心，让他看防御设施，了解武器系统。

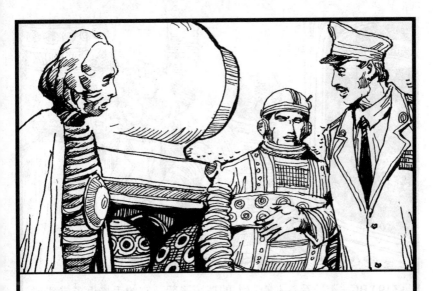

（117）本逊把 BC—4 号叫到自己面前，要他向异星人介绍远距传物炮的作用。

（118）BC—4 号提醒本逊，人类等待已久的敌人从红宝石二号的方向来，我们在这里建立新基地，就是要对付来犯的敌人。

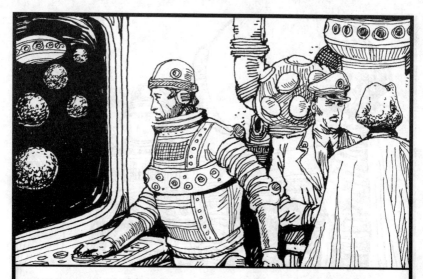

（119）BC—4号看着七艘敌人的球形飞船，它的手接近了拳头般大小的红色按钮。机器人按下了按钮，远距离传物距启动，屏幕上七艘飞船骤然消失了。

（120）本逊告诉克许特尔，一个机器人不听我的命令，摧毁了你的七艘飞船，余下的逃走了。BC—4号又摧毁了留下来的一艘旗船。

（121）克许特尔怀着复杂的心情看着 BC—4 号,他举起辐射枪,按**下击**发器,闪烁的能量光束围住了这个仿形机器人,但不起任何作用。

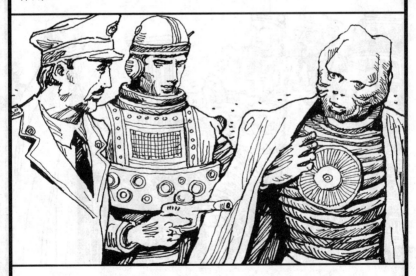

（122）BC—4 号夺走克许特尔的辐射枪,命令他把让本逊恢复理智,克许特尔服从了。本逊马上发生了变化。他惊讶地后退了一步。

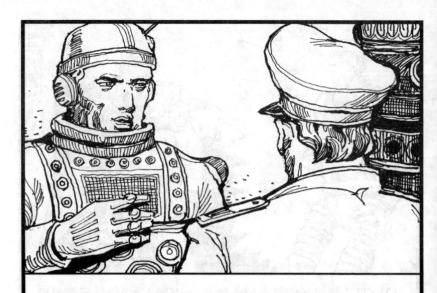

（123）BC—4号向本逊简短报告发生了什么事，并派一个等着的机器人去通讯中心，给"大地七号"发射例行讯号。

（124）本逊明白了。他从BC—4号手中拿下辐射枪，对准克许特尔。"其余的飞船，你把他们派到哪儿去了？"克许特尔不愿被自己的武器消灭："我命令船队逃离了。"

184

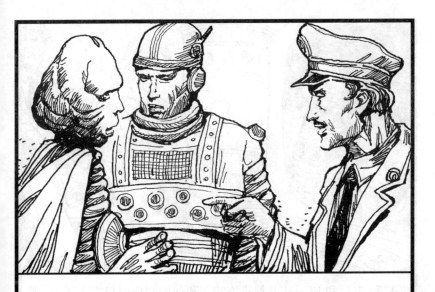

（125）"去了哪里？""去了这个世界和你的家乡太阳之间的那颗星。"

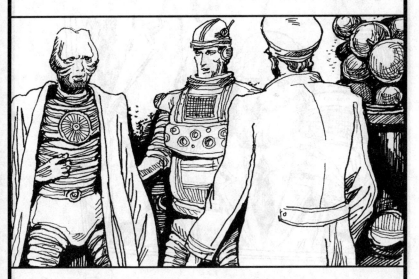

（126）"那么是天狼星！马上向'大地七号'发出警报，BC—4号！"本逊看着克许特尔，"你们为什么来这里向我们进攻？""我们履行誓言。"克许特尔答道。

（127）本逊和 BC—4 号把克许特尔和他的同伴谢塔带上飞船,飞返地球。当地球首脑哈勒尔见到两个俘虏时,似乎感到关于鬼怪的古老幻觉变成了可怕的现实。

（128）哈勒尔沉默了很久说:"为了两千年前发生的一个失误,你们就复仇,这文明吗?"

（129）"如果让你自由，你能下令撤回船队吗？"俘虏晃动触角："不能。我选在你们这里死。但你们不会打死我，因为你们想从我这里知道一切。"

（130）克许特尔和谢塔在严密监视下登上了把他们押往月球的飞船。飞船紧挨着直径不到十米的球形透明建筑物边上降落。

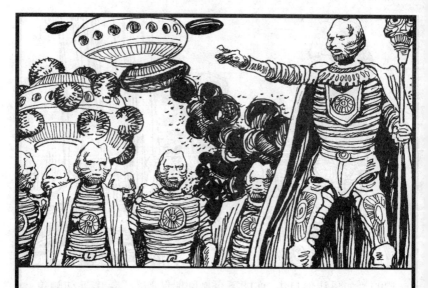

（131）两千年前唯一的生还者在短时间内到达了他的家乡，他们匆匆聚集了船队并返回，他没想到，人类地球已过去两千年。

（132）一阵可怕的震动传遍船身，似乎是一个巨大的拳头击中了飞船，把它连同船内的一切抛入无边无际的宇宙空间。本逊摔在地上，一动不动。

（133）A—3号在屏幕上发现敌人。它启动远距传物炮，同一秒钟内，球形飞船消失了，那艘把本逊少校送往红宝石星座的巡航飞船也消失了。

（134）三星期过去了，本逊没有到达红宝石二号，人们也没有收到这艘XLZ17号飞船的任何无线电讯号，他们失踪了，也可能是在同敌人的遭遇中被消灭了。

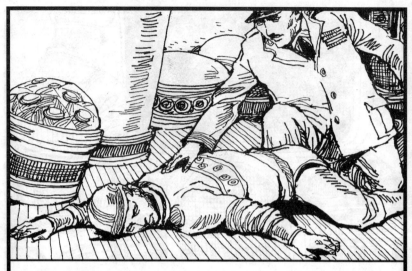

（135）当本逊少校慢慢恢复知觉时，他吃力地坐起身，看到指挥官躺在绘图椅脚中间，头上伤口渗出鲜血。巡航飞船指挥官死了，飞船无人指挥。

（136）他找到马洛夫，告诉他，危险迫在眉睫。飞船在宇宙中飘浮。指挥官死了，情况紧急，他要马洛夫指挥，把飞船重新驶入轨道。

（137）看不到敌人球形飞船，就是远处的天狼星也没有。他们根本看不到任何星座。这意味着他们在宇宙空间道路了。

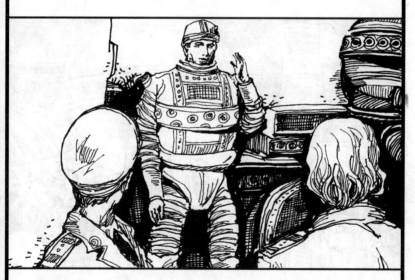

（138）BC—4号提出三个符合逻辑的答案，不知哪个正确。消失在另一个空间，消失在另一个时间——或者消失在由两个因素组成的另一个维度。

（139）在把数据和假设的数据输入计算机后，计算机吐出了结果，飞船位置在距银河一百万光年以上的空间。

（140）载着同地球谈判指挥官约的球形飞船没受阻碍地降落了，在打开的舱门中出现了一个同样裹在防护服中的身形，跨下舷梯，走近等待着的人群。

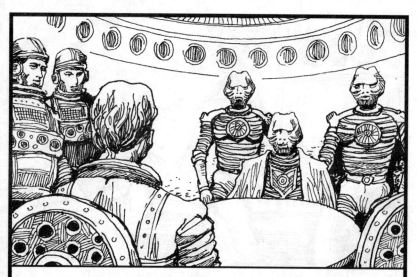

（141）异星人对来接他的梅尔顿说，"我的民族叫我约，我接替克许特尔的指挥权。我们入侵是害怕一切新的银河大战。我们不再入侵，并返回移动星云。"梅尔顿点点头。

（142）在那艘遗落宇宙的飞船上，人们正在努力。本逊现在负责指挥。BC—4号走向远距传物炮。开始到数。到点时，本逊屏住了呼吸。

193

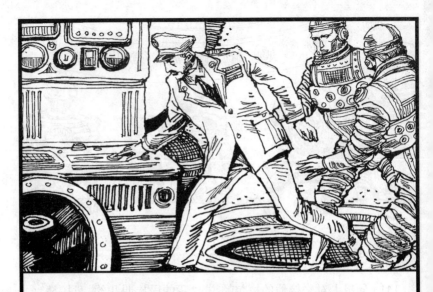

（143）一阵震颤传遍船体，此外再没有什么。本逊飞快地跳下地，当他的眼光落在压力计上，他的双手无力地垂下了。

（144）远距传物炮所在的地方已不存在，它同BC—4号以及整个船首一起消失了。船在三个男人脚下突然成楔形被切断，他们惊恐万状，呆呆地望着宇宙那可怕的虚空。

（145）他们渐渐明白发生了什么事，绝望又涌上心头。他们心里清楚，巡航船现在只是一个残骸，在无尽的宇宙中飘浮。

（146）BC—4号在船体中，虽然它能不费多大力气把自己远距离送回银河。但他没有这样做。而是计算好角度，然后它准确地以零点三秒时间启动了远距传物炮。

（147）船员得知，残骸不会进入轨道，而是坠入一个陌生的太阳系。这是计算的结果，不能改变的灾难。

（148）脚下的轻微震颤持续了稍微一会儿，本逊发出惊呼。他爬上残骸外壳，寻找太阳，他们曾面临着坠入的危险。

（149）他们回到了银河！BC—4号再一次启动远距传物炮，这次是有目标的，而且非常精细。BC—4号牺牲了自己，留在了真空中。

（150）残骸自己不能降落，必须炸毁它。可是，这是艘好船，它比以前任何一艘地球的船更深地进入了宇宙。

（151）世界政府接受了入侵者的和平建议，指挥官约和哈勒尔总统谈判，协定在三天后签定，有法律效力。

（152）克许特尔知道约同地球商谈的和平协定，他的复仇失败了。回去将被送上雷费楚尔的法庭，如果想活，他不该回去。

（153）约的两个同行人拿着两套宇航服，来到半球型监狱，把它们交给俘虏，他们随即穿上。

（154）克许特尔突然大步跳开，靠近巡逻飞艇。在人们做出反应之前，他已跑到舱口，消失在小艇里面，关上并密封住舱门。

（155）小艇从月球表面升向空中，加大速度，射向昏暗的天空。几秒后消失不见了。克许特尔成功地逃脱了。

（156）约保证要追捕。告别后，异星人返回他们自己的球形飞船，一会儿便升空朝逃亡者追去。

（157）克许特尔绕月球划了一个很大的弧形，以十倍于光速的速度在地球边飞驰而过，向半人马星座方向飞去，他知道，约的船队在向着相反方向进发。

（158）克许特尔会降落在一个合适的世界。他可能会来到原始半开化民族居住的行星，他们将会把他当作半神来迎接，并给他许多荣誉。

（159）全体残骸上的船员知道了签订的和平条约和克许特尔的逃亡。他们在屏幕上看到了敌方船队飞离以及地球宇宙飞船对尚未开发系统的继续推进，他们等待着最终被发现。

（160）二十五年来 XLZ17 号飞船一直在宇宙飘浮。他们甚至在飞船上举行了婚礼。大家都相信，他们终有一天将返回地球。

（161）这一天终于来到。那艘漆黑色的巡航飞船看上去一动不动地飘浮。在 XLZ17 号的近处，电磁钢索伸了过来，同残骸金属联接住了。

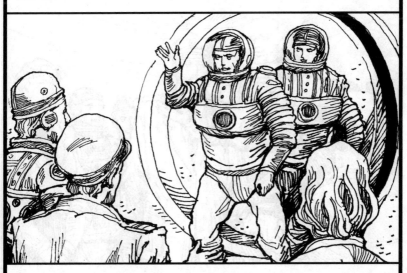

（162）过渡舱门打开，几个穿宇航服的人由机器人跟着，走了出来，他们挥手跳跃，稳稳地落在船体残骸上。

（163）本逊走近前来迎接的梅尔顿上校。梅尔顿说，"这是最后一次巡航飞行。""感谢您找到了我们。"本逊激动地说。

（164）梅尔顿走进残骸，他说，"你们被救消息已传到地球，人们在那儿等你们。"大家一阵欢呼，在宇宙间漂浮了几十年后，他们终于要返回地球了。

编文　冷卫星　江虹

绘图　娄迪迪　张启胜

　　　林平　郑红玲

（1）暑假里，我随考古学家雷利教授来到埃及，当地人阿布杜尔安排我们住在一间豪华酒店。

（2）我到酒店外散步，想欣赏一下当地古老的风光。突然，从路边窜出三个家伙，向我扑来。我挣脱出来后发现，我的钱包不翼而飞了。

207

（3）我急速返回旅馆。第二天清早，阿布杜尔叫我一起去见雷利教授。路上，他拿出我被偷走的皮夹，20镑埃币不见了，其余东西一动未动。阿布杜尔熟悉这帮人，提醒我外出小心。

（4）雷利教授两眼炯炯有神，眉毛因高度兴奋而显得弯曲。原来他深感兴趣的对象是桌上那块由一张皱巴巴的纸托着的宝石。

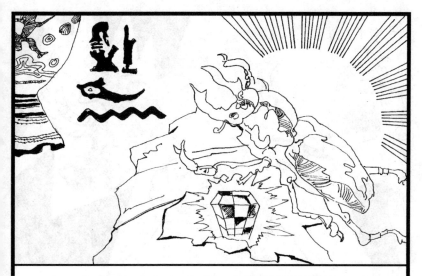

（5）乍一看，宝石如飞鸟，细看，是一只单翼展翅的圣甲虫。虫身由绚丽的蓝宝石雕成，翅长6英寸，由红、蓝、绿三色宝石嵌成。虫背有个缺口，表明少了一片翅翼，这是一件精湛的工艺品。

（6）一位丹麦游客在开罗黑市以二百镑收购下宝石翅翼，他请博物馆鉴定。馆长看出是公元前27世纪古王国胡夫时期的宝物，即付给丹麦人二百镑，并警告其不准收购、偷运古物出境。

（7）据说,这蓝宝石翅翼是一伙沙漠游牧找到的。馆长发现宝石翅翼是圣甲虫的左翼。

（8）教授问阿布杜尔,是否能找到右翼。他耸耸肩,不愿回答,却说,"如不及早采取行动,也许会发生一场悲剧。"

（9）我们来到卢克苏尔。教授装扮成收购珍宝的英国阔佬，带一名博物馆员辨认文物真伪。阿布杜尔到处散布阔佬愿以重金收购历代珍宝。

（10）连续四天，教授在卢克苏尔一座寺庙废墟旁摆桌设摊，在阿布杜尔及博物馆代表陪同下，每天两次接待埃及农民，络绎不绝的农民来到废墟，排队出售他们的发掘物。

（11）这天，一位当地人拦住我。他残废的手伸进长袍，掏出一个破麻布包。打开一看，正是丢失的圣甲虫的另一只翅翼！"

（12）我把他带去见雷利教授。在台灯照耀下，蓝宝石翅翼闪闪发光。教授略皱眉，说翅翼质量有问题，是个膺品。

（13）老头夺回赝品，打开第二个布包。宝石发出耀眼光泽，呈透明状，镶嵌的金丝也更为精细。教授将老头的翅翼装到圣甲虫上去，完全吻合。三块宝石拼成完整的圣甲虫，是件无价之宝。

（14）可是教授却不肯付钱。老头咒骂着，将翅翼摔成碎片，拉开房门，逃之夭夭。我正在叹惜，"那也是赝品！"教授举着碎片说："不过他一定见过真品！"

（15）第二天吃早饭时，阿布杜尔带来了令人沮丧的消息：老头被人杀死在旅馆附近。我们寻找王墓的最后一条线索也就中断了。

笃……

（16）晚上我在房间看书，突然听到笃笃的敲门声。我从床上一跃而起。一个皮肤黝黑的阿拉伯青年站在教授房门口。教授打开房门看见了我，打手势让我去叫阿布杜尔。

（17）他说他名叫穆罕默德。约在 20 年前，他还是孩子时，有一天，跟父亲找走失的骆驼时，意外地发现了一座埋在沙砾中的古庙废墟，以及一条通过岩壁到达内部的通道。

（18）我提议弄辆吉普车，穆罕默德说那里没有路，只有小股驼队才能通过。教授在行李中摸出一支黑色小手枪，花了几分钟功夫教我使用手枪，并对我说："你和阿布杜尔带上武器，以防万一。"

（19）星期二拂晓时分，由六匹骆驼和两头毛驴组成的旅队出发了。渡过尼罗河，晨曦刚露出地平线，到上午 6 点，许多埃及农民已经劳动好一会儿了。

（20）走完峡谷，沿着羊肠小道向上攀登。这里是一片不毛之地，没有生物，没有生命，到处是黄灼灼的沙漠。11 点，我们停下休息。在烈日下，阿布杜尔教我把水撒在颈脖上和腋窝下。

（21）一个脚夫跑来说,好像有人跟在后面。远处掀起一股尘土。阿布杜尔接过教授手中双筒望远镜:"也许是去大沙漠的旅队。"穆罕默德担心是杀害他父亲的沙匪跟踪。

（22）穆罕默德手指一块奇特的露头岩石说,这是当年父亲来此找宝的位置,他虽然十年没来了,可是他记得峭壁顶部这些外突的岩石。

（23）断崖旁是一根断石柱，断臂的雕像，直径为一百码的巨大神坛。教授扒开碎石，看到一组图形文家。"胡夫！"他惊叫一声。

（24）六点了，我们把帐篷搭在神坛上。吃了点干肉、罐头水果，喝了几杯清水，躺下来休息，幻想可能会有什么伟大的发现等着我们。

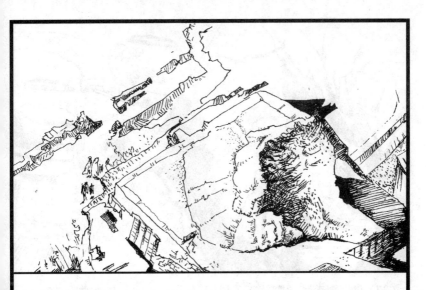

（25）随着朝阳的升起，岩顶的轮廓清晰地显现出来。"狮身人面像！"我不禁喊出来。教授点着头："像是雕刻的。"

（26）教授向我解释道："狮身人面像是吉萨三座金字塔的组成部分。按推算，它建于古王国第四或第五王朝。即胡夫时期。可是在这儿找到了胡夫的涡形装饰，半埋在沙漠中的古庙……

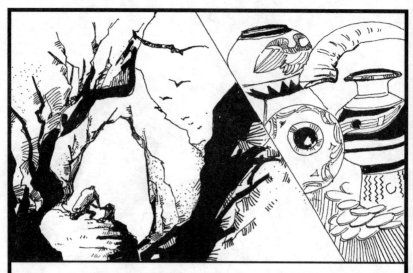

（27）我们跟着穆罕默德下了堤坝，朝断崖走去。断崖脚下有一个半埋半露的洞穴，通往岩洞深处。我们在洞里只找到一些破碎的古花瓶。

（28）教授确信无人偷听时对我说："据阿布杜尔说，昨晚有个驼夫出去了一个小时。阿布杜尔跟了出去，他看见断崖上有灯光，像是朝谷底打信号。"

（29）"这说明什么呢？""阿布杜尔认为，我们得防备点儿，可能会发生意外。你回去拿衣服时，把那支枪带上。"教授吩咐。

（30）断崖一侧飞出一群蝙蝠，蝙蝠是从两个地方飞出来的：一处在断崖上面；另一处，蝙蝠是从我们白天进去的裂缝中飞出来的。

（31）我们弯腰走进裂缝，发现有三个裂口。"可能是通风口。"教授惊叫道。教授让我站到阿布杜尔肩上，阿布杜尔慢慢地将我顶起，直到我能看到最下边的那个裂口。

（32）打开手电，我伸长脖子往里看，迎面袭来一股凉气。我将手电往下斜照，看到发亮的两只闪闪发光的巨眼盯着我，我吓得说不出话了。

（33）拂晓前我醒了，直觉地感到出了什么事。一切都笼罩在黑暗中。突然一声令人恐怖的悲惨喊声划破了广袤沙漠的夜空，在断崖处回荡。

（34）"穆罕默德！"阿布杜尔喊了一声。我们年轻的向导失踪了！那声令人恐惧的喊叫实在叫人担心。穆罕默德想必遇到了和他父亲同样悲惨的结局。

（35）洞口能容一个人进去。我主动请战，教授说先让驼夫试一试。驼夫非常迷信，说法老的诅咒会使入洞者大祸临头。我再请战，但遭教授拒绝。

（36）驼夫爬人洞内不到半分钟，从断崖深处传来一声极其恐怖凄厉的尖叫声。远处似乎有一个人在疯狂地乱窜。一阵阵悲惨的嚎叫声在洞内大厅回响。我毛骨悚然。

（37）我们仔细察看地面，发现了一处新的凹地：一根断石柱半掩着一个洞口。挪开周围的两块岩石，洞口果然扩大了。凉气从洞内冲出，我们找到了墓室的主通风口。

（38）我手持手枪，阿布杜尔拿着大弯刀，下了墓道。忽然照见一件白色的东西。走近一看是驼夫的尸体。教授吩咐脱掉驼夫衣服，不到30分钟，教授验完尸体说："答案在这里！"驼夫腿上有青紫色伤口，有两个针眼小孔。"蛇！"教授说。

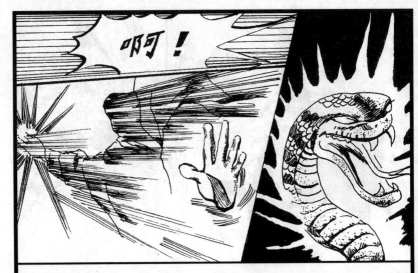

（39）"是眼镜蛇！"阿布杜尔点头说。我们分析后得知，驼夫一跳下通道，就被背后窜出来的眼镜蛇咬了一口，惊慌中手电碰坏熄灭了。驼夫意识到自己的死亡，就拼命奔跑，发出声嘶力竭的哀嚎。

（40）阳光洒进墓室，照在那些神像脸部，那是六尊岩石雕成的巨像，围坐成半圆形。主神欧希利斯，统辖着整个墓厅。鹰头神荷赖斯、鳄鱼头神宇伯克、朱鹭头神桑西、驴头神塞西以及豺狼神阿纽别斯。

226

（41）我朝大厅的一侧信步走去，那尊神像的腰部竟盘着一条蛇。蛇紧紧地盘成一团，而我离它不到一英尺。我吓得呆若木鸡。"布赖恩，快来看！"教授叫我，我只能用眼角瞟他。我怕发出的声响引来毒蛇袭击。

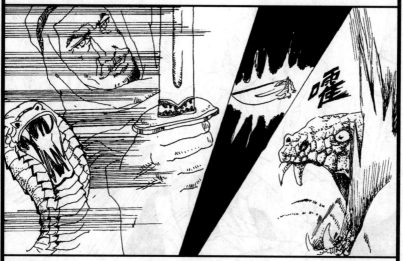

（42）阿布杜尔知道我处于困境，他蹑手蹑脚走过来，手臂慢慢在我身后举起，一束手电光瞄准了蛇头，霎时间，手起刀落，蛇头从岩石上滚下，掉在我胸前。

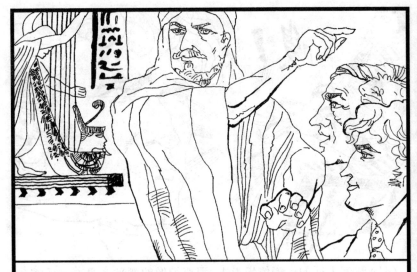

（43）教授哈哈大笑。阿布杜尔捡起毒蛇用手一提，蛇身碎成粉末。原来是条死于几百年前的蛇木乃伊。沙漠干热，使它保持了栩栩如生的形态。

（44）我们向后走。"门！"阿布杜尔惊喊起来。我们推了一下石块，石块纹丝不动，又推了一下，石头终于向里一晃，露出了一个大孔洞，我们猫着腰往下走，里面空气新鲜。埃及人十分重视墓室的通风设施。

（45）我们又搜索三间墓室,除了第二墓室那具木乃伊外,没有发现其他东西。木乃伊胸前的裹带,已被撕碎,显然已有人来盗墓。

（46）教授走出过道时,他脚下发出的音响变了。显然,脚底下还有墓室!我们当即跪下,细细寻找缝隙。当我们尘土清除后,终于找到了入口。我们掀开石块。

（47）展现在眼前的一幅神奇景象：一排狭窄的石梯向下延伸，直至一个巨大墓室。整个墓室除了闪闪发光的黄金，没有其他颜色。地上有一口巨型石棺，到处是无价之宝。

（48）历史性发现时刻！我们终于找到期望已久的东西！把这些宝藏起出和加以归类则需要好几个月时间。

（49）掩埋好驼夫尸体，返回营地。四匹骆驼及剩下的那名驼夫早已不辞而别。两匹毛驴已挣脱缰绳在营地沙漠中游逛。

（50）"下个月就会有好几百人聚集这里，你再也看不到现在的景象了，快下去到大厅看看。今晚月光特别皎洁，你会看到壮丽无比的景象。"教授说。

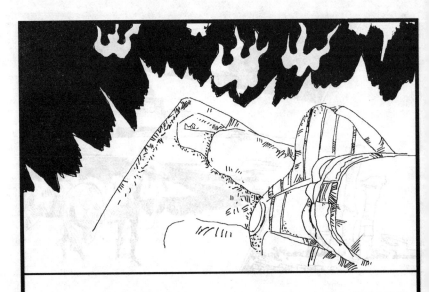

（51）我走进隧道。突然传来一阵混杂的声音,有火把光亮,说的是阿拉伯语,一阵恐怖涌上我心头。

（52）我赶紧躲好。只见火把照亮了大厅,七个阿拉伯人冲了进来。为首的竟是那个逃跑的驼夫!他们用大木棒沿着墙壁敲打,他们在寻找另一条通道。

（53）他们开始挖那块石板，隧道深处传来毛骨悚然的叫声。稍停，他们又开始挖石板。又响起惨叫声。第三次传来怪声，阿拉伯人都惊呆了。

（54）传来一个阿拉伯人绝望挣扎的呼救声。那个背叛我们的驼夫高举火把在说着什么，突然身子向前摇晃一下，一头栽倒，火把落地，死了。

（55）阿拉伯人惊叫着，咒骂着，疯狂地乱跑，迅速逃出大厅，朝上面的隧道夺路而去。

呀!!

（56）我和教授下到墓室大厅。教授把第一具尸体翻个身，尸体背部有一条大口子。又检查那个驼夫、发现他前胸插有一把镶有宝石的短弯刀。"是阿布杜尔的刀！"我惊叫起来。

（57）第一个阿拉伯人的背被阿布杜尔捅了一刀，死了。阿布杜尔将刀砍出后，立即打灭火把，使那伙人摸不着头脑。阿布杜尔是位神奇人物！

（58）中午，穆罕默德拖着疲惫的身躯走回营地。一到营地，他昏倒了，喝了些水，休息一阵，他才向我讲述经过。

（59）那天半夜，他听到怪叫，起床走出营帐，走过篝火，就被两人用布塞住嘴劫走。清晨。他终于挣脱了绳索，逃了出来。

公元前
27
世纪

（60）墓冢内有两具尸体。一具是公元前27世纪的高级祭司，另一具可能是祭司的妻子。尸体先运到开罗，后经埃及政府同意运往美国。这两具木乃伊是教授研究的第六和第七具木乃伊。

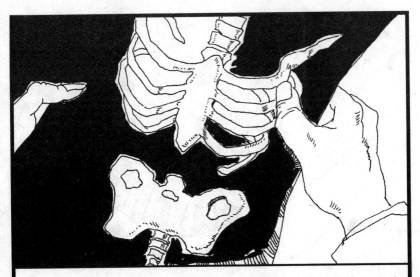

（61）"木乃伊六号像是个男孩或小个子女人"，教授看着 X 光片咕哝，"一条尾巴！木乃伊六号大概是一只狒狒！"同动物学家一起研究了那几张 X 光片，这具干尸果然是一只狒狒。

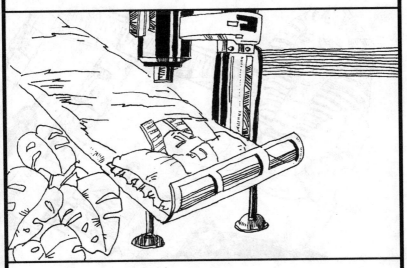

（62）木乃伊七号是具男人骨骼，两腿之间有一个软组织阴影，据此判断他是男性。死时大约四十至五十岁。高约 6 尺。

237

（63）他的脖子上有一根细项链，右臂带着三个手镯，左臂带着两个。

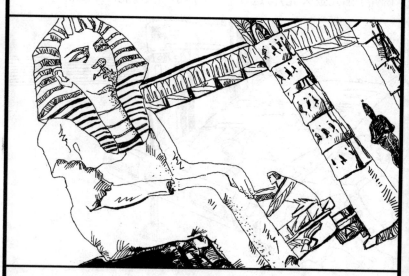

（64）木乃伊七号死于非命。几处骨折都在左边。估计他左侧摔地，摔裂了颅骨，摔断了左腿和左边肋骨，造成了颅内出血或脏器出血而死亡。

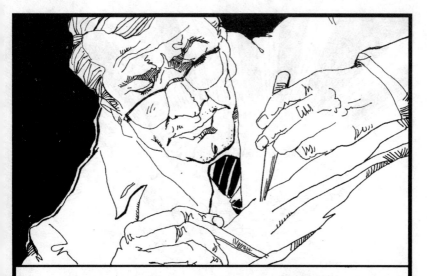

（65）从 X 光片看,骨质结构保存完好,胸腔和腹腔有些阴影,教授决定解开裹尸布,他从尸体下半截身子开始,他用锋利的解剖刀在木乃伊两腿之间划了一下,裹尸布迎刃而解。

（66）两只脚保存完好,指甲十分完整,腿肚上还留着细毛,皮下静脉依稀可辨。脚指还可以随意屈伸,跟活人的肢体肌肤相似,当解剖刀转向腹部,一小束紫花放在脐部,芬芳向我们袭来。

（67）手腕上的亚麻布揭开，现出碧绿和湛蓝的美色，这样的手镯，我从来没见过，宝石晶莹夺目。有三个手镯镂刻成荷赖斯（鹰头神）另外两只金手镯，刻着精细的花纹，嵌着罕见的宝石。

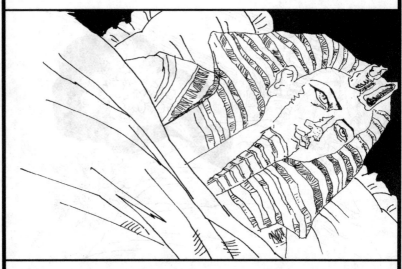

（68）脖子上的裹尸布解开，项链露了出来，这是一根很细的金链。坠着好些蓝色宝石。他一下子揭去最后几层亚麻布，脸部露了出来。下巴好看，双唇紧闭，鼻梁笔直略宽，头发不长，有波纹。

（69）木乃伊七号经电子计算机扫描仪检查，心、肝、胰、胃都在正常位置。教授往椅背上一靠："取些深部组织标本，也许还有什么东西会生长哩。"

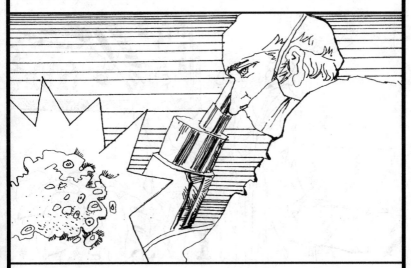

（70）那天下午，我在埃及人身上取了几块皮肤的标本，我先用一把薄刃的刀子在左腿上轻轻刮下了一块组织，并把这层上皮细胞放进碟里，碟内事先放了有利于细胞生长的营养胶。

（71）我还取了一些深部组织的标本。在双侧小腿和大腿，在下腹部，我用一根纤细的探针插进皮下二三英寸处，弄下一点组织，放进盛有琼脂培养基的碟子，让这些组织同各种细菌接触。

（72）一周后，我们同马卡姆教授进了实验室。他曾两次被提名为诺贝尔奖候选人。"阿诺德，我们在标本碟内放进各种各样的菌株，可是什么细菌都不生长，被埃及人的细胞抑制了。"

（73）马卡姆教授带我们来到实验室后屋，那里有台放大十万倍的电子显微镜。"这是个白细胞。"马卡姆说，"是机体防御系统一部分。这个白细胞完美无缺，只是处于休眠状态。"

（74）马卡姆把眼睛盯着雷利教授，声音顿时放轻，如同在耳语一般。"这里依然有生命！"他说道，"每个标本都有生长。"

（75）过了一个月，院长在星期日举行特别会议，出席医院各主要
部门的代表参加讨论木乃伊七号的生命现象问题。

（76）雷利应院长之请，首先发言，"上个星期，我们用生理溶液冲
洗血管中的凝块，花了4小时，然后用一种X射线不透明的药物
注入动脉，药物沿股动脉畅通无阻。左侧因骨折药物有渗漏。"

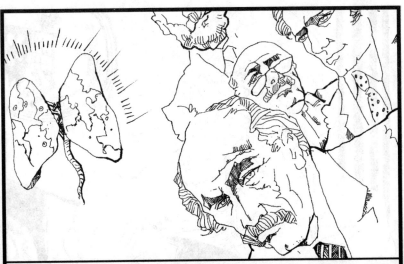

（77）雷利教授继续说："出乎意料的是，下腔静脉也显影了，而且一直通到心脏，请大家看两肺毛细血管。"一阵惊诧。两肺密密麻麻全是像织物的花边那样的毛细血管，说明血管完全开放，保存完好。

（78）雷利最后说："我提出以下建议：既然血管系统十分完整，既然木乃伊七号体内细胞表明有生命的迹象，那么，我们也许可以恢复他的血液循环……"

（79）查普曼院长喊道："请大家特别注意，这件事情需要慎重考虑。"

（80）每个人都同时说起话来，至少提出了十几个问题。有一个低沉的嗓音吼起来："雷利，你真荒唐！"他是骨科主任麦克德米特博士。"这个人已死五千年啦，又不是刚走进你诊室的病人。"

（81）会场开了锅。人人提高嗓门。查普曼使劲拍桌子。"肃静！"他喊道，"你们议论纷纷，这是好事，召集大家正是为了这个，发言有个次序，现在就从比森博士开始！"

（82）心脏外科专家站起来，"这具尸体使用体外循环，供应含氧血液，在技术上是行得通的。"

（83）"医学必须大步前进，如果一切准备就绪，我认为值得一试。"比森耸耸肩，"首先恢复血液循环，也许得用起搏器，也许要做一次心脏移植术。"

（84）"真滑稽！"麦克德米特嘲笑道，"难道你能想象哪位家长会签字同意把自己 19 岁女儿的心脏移植给一个 5000 岁的木乃伊吗？"

（85）"这么一来，岂不是把一些少有的细菌带进手术室了吗？我们现在的细菌与五千年前的细菌不同，后者对那埃及人算不了什么，但对我们我们却可能毒性很大！"有人神经质地咳了几声。

（86）雷利点了点头。"风险总是存在的。"他说道，"当然我们要采取预防性灭菌措施，防止对普通病人和我们自己造成污染。"

（87）精神病科主任华莱士说，"如果成功，那就把他从五千年前的时代突然带到今天，会怎么样？一个人超越五千年在神志上能否保持正常。他不是一条狗，他的生和死应受到尊重。"

（88）比森最后说："假如不成功，我们毫无损失，这项工作可以由我的手术人员在我的手术室进行。如果成功，我们得重新书写生命的定义。医学史上千载难逢的机会，我们有责任抓住！"

（89）决定就这样做出了。四个月前，当我们还在埃及古墓堆里爬来爬去的时候，如果知道会是这样一种结局，我一定会说，我们全都疯啦！

（90）阿布杜尔给教授写了封信，把木乃伊七号的神秘面纱揭了开来：他具有一身魔法，能"驯服猛兽""化人为石"，担任祭司，成为法老的全权顾问。图形文字把他描述为人面狮。

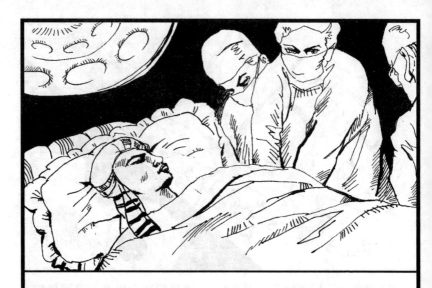

（91）上星期的与会者都来了。木乃伊七号躺在手术台上，一名护士用一种红色的消毒液涂布腹股沟，另一名护士用它擦拭胸部。

（92）比森用手术刀从上胸部开始，直到腹部为止，做了一个很长的竖切口，皮肉顿时分向两边，一滴血也没有，似乎切的是块面包，他用小电锯切断胸骨。

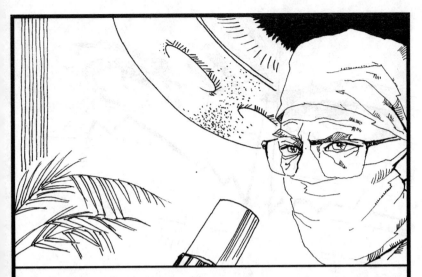

（93）比森用金属拉钩拉切口，露出心脏。"右心房和右心室都完好无损，只是好像比较小。"比森说，"先用含氧液洗去代谢产物，等溶液畅通无阻，再改用血液，从低温开始，逐渐升温。"

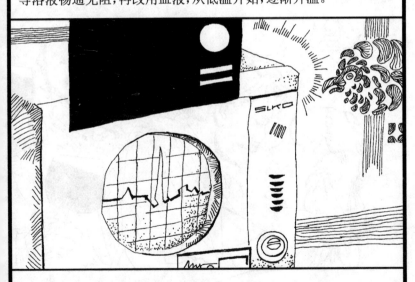

（94）"动啦！心电图动了，你们瞧！"果真如此，心电图上出现稍稍不规则的线条，可是随后线条又变直了。

（95）突然间,脑电图的指针也都猛烈地晃动起来。最上面的那指针竟跳出图纸之外,把仪器敲得"啪啪"直响,过一会儿才慢慢地降落下来。

（96）"成功啦!"人群欢呼起来,互相拍打,握手,雷利忘乎所以,"'木乃伊七号'尸体在墓内呆了50个世纪,如今这位大祭司的心脏居然又一次跳动起来啦。"

（97）下一天星期三，木乃伊七号开始到处出血。嘴里、鼻管周围、直肠内以及尿内都有渗血。给他输了新鲜血液，24小时后，出血已经止住，人还活着。

（98）第二天，雷利问比森可否允许我们去看木乃伊，这位祭司完全清醒，身体很弱，他已开始吃流质，原先连接在身上的许多管子，都已撤除，他恢复得极其迅速。

（99）木乃伊七号盯着讲话的人，他不懂我们讲话的内容，但他在聚精会神地听，对我们大惊小怪的样子感到满意。

（100）麦克德米特发现表停了，使劲摇了摇，"该死的表，怎么停啦？"我看了看表，也停了。教授从内衣的袋里掏出怀表。"我的是1点35分，肯定不准。"过了6小时，我们的表才重新走动。

（101）第二周周末，埃及人明显好转，比森把他搬出紧急观察室，转到疗养病房的特别病室。那里也有抢救设备，屋里可进餐。向外可看到群山，风光秀丽，还搬来花草，环境搞得优美舒适一些。

（102）一天下午，我在食堂喝咖啡，遇见夜间护理的詹妮弗，她告诉我埃及人的怪事。他在上床前，从花瓶里拿出一束玫瑰，用手在花上抚过时，花朵全都合拢，低垂下来，仿佛它们闭目睡去似的。

（103）木乃伊七号学英语进展很快，你给他鸟或树的图画，告诉他英语名称，他过目不忘。但像"需要"、"感受"或"认为"一类动词，怎么教呢？也许得教好几个月才能同他交谈。

（104）有的时候，他趁护士不注意，就悄悄地下床。他已经能走动了。詹妮弗发现他好几次跟在她身后。

（105）"昨天夜里,我在埃及人病房不小心把体温计弄破,割伤了手指,伤口出血不止。埃及人把我的手指放进他嘴里。我吓了一跳,赶紧抽出来,出血竟奇怪地止住了。"詹妮弗对我说。

（106）学院请来著名古埃及研究专家布里斯托尔和木乃伊对话。布里斯托尔拿过木乃伊七号写的白纸薄,仔细研究,"他说他来自孟菲斯,是一位大祭司,他想知道自己在什么地方。"

（107）木乃伊七号仍在写着。他画了一行图形文字，一个狮身人面的男人，胡夫的花饰。看来他是打听胡夫的情况。

（108）"告诉他，胡夫已经死了。"雷利说。木乃伊七号读了一遍，脸上阴郁起来，眼睛也湿润了。

(109)"告诉他,已死了五千年,"教授皱起眉头。木乃伊呻吟着。"他以为自己一直活到现在哩。"布里斯托尔呼吸困难地说。

(110)木乃伊七号握笔疾书。"他问卡雷姆和赫拉迪蒂,用的是阳性,显然是两个女人……"我想起帝王谷古墓中的壁画,上面有女祭司、舞女……

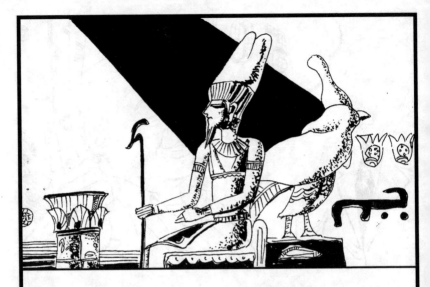

（111）"也死啦，"雷利低语。"还有玛娜柯丝呢？……"木乃伊七号写道。"这是胡夫的女儿，"雷利摇了摇头，埃及人明白了。

（112）埃及人的手颤抖起来，"孟菲斯呢？庇比斯呢？卡纳克呢？""这些古城没有了。"雷利慢慢地说。

（113）我们的回答犹如判处他死刑的宣判词。他拼命地摇头，然后一头倒在床上，右手颤抖越来越明显。颤抖蔓延到全手、腕肘、最后到肩，全过程不到10秒。

（114）雷利教授十分懊恼，"我们太着急了！"他说道，"不该回答他的问题，有多少秘密埋藏在他的心里啊，可是如今……。"

（115）第二天，医院公用通讯系统中闪出一行字来：心搏骤停307病室。人们从四面八方奔来。与埃及人相连的三根导线，撂在床上，静脉输液胶管倒垂着，朝地上滴水，可是床上是空的。木乃伊七号不见了。

（116）"怎么回事？"雷利问道。比森摇了摇头。"我们回忆一百遍了。一名护士离开病房一分钟，心脏警报器响了，人人往那里奔去，我是第一个进屋的。我不明白！"

（117）雷利微微一笑。"你知道，他跟我们不同。那天查房，我们见到所有的表都停了。我们亲眼见到他的骨折在一周内愈合了。我们亲眼见到他的心脏在静止五千年后又恢复了跳动。"

（118）比森皱起眉。"在死后几十个世纪又恢复了知觉，恐怕只有上帝才知道这是什么滋味。何况他身上连着好多奇怪的机械装置。我们又经常为试验而去摸他，刺他，扎他，这不见得好受。"

（119）我找到詹妮弗，向她了解当时的情况。她耸了耸肩，"我总觉得自己的动作十分缓慢，而其余的一切都全速运动，我像用了麻醉药，手脚异常沉重。"

（120）看守木乃伊的守卫也不见了。人们发现他在医学图书馆外面的花园里面酣睡着，以为他中风了，那种眼神连神经病学家也从未见过。

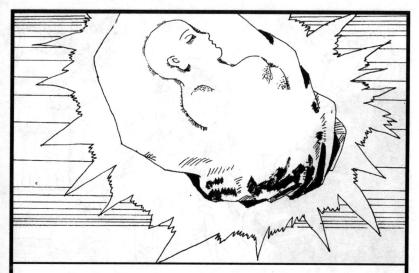

（121）也许这些怪事同木乃伊失踪无关，但也许是有关的。斯芬克斯谷中的图形文字曾说那祭司一身魔法，他能"驯服猛兽"，并能"化人为石"。

（122）过了几天，一对夫妇提供了一条线索。他们前几天曾来看望在医院工作的父亲，很晚才回家。驱车离去时，看见一个人在他们车前越过马路。他穿着院服，没穿鞋。

（123）"我们要尽快找到他。"雷利说。如果被新闻界知道了，那就糟糕透啦！那样会使他隐藏得更深。"

（124）可是，他会去哪儿呢？"对，博物馆！"我激动地叫道，"他肯定对自己生活的年代有兴趣。"

（125）将近中午，好几百人涌进博物馆大门，我们设了观察站。我有一种奇怪的感觉，有人盯着我。

（126）一个老太婆走过门厅，弯腰曲背，步履拖沓。我想追上去，却觉得动作极缓慢。突然她不见了，我的手脚也利落了。我急向前赶去，她早已无影无踪了。

（127）我听到有动静，果真有人在我面前走动。我头上冒出汗珠，脖子上汗毛直竖起来。昏暗中，老太婆的形象在我记忆里变成一个巨大的幽灵。

（128）在昏暗中，只见一个模糊的人影紧紧贴在墙上。有东西朝我飞来，露着白森森的牙齿，铜铃般的巨眼。我赶忙躲开，脚生了根，"轰"一声巨响，黑东西砸过来，我昏了过去。

(129)我醒来时看见雷利教授站在身边。他说，一个"假面掉在你头上，"雷利说道："那假面大概有40磅重，你活着就算万幸了。"

(130)"你刚才昏迷时不停地说胡话，什么老太婆，男人的鞋子，好像你在黑暗走廊里追什么人。""可能是木乃伊七号。"我说。

（131）雷利教授告诉我，"木乃伊七号的骨标本测定为二万七千年！""这怎么可能，他是胡夫时代下葬的！"我说。

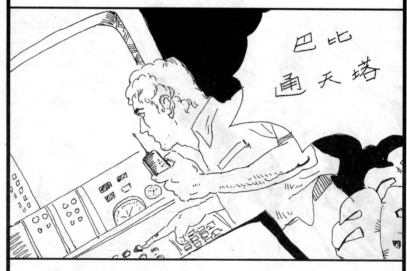

巴比通天塔

（132）我来到机算机语言实验室，斯潘泽雷里正在用"巴比通天塔"的程序翻译木乃伊七号的呓语。那是他在清醒前被我们录下的。

（133）"巴比通天塔"断断续续译出了一些语言。木乃伊七号果真在修造大金字塔时起了极大作用。我们推测没错。这段话证明他在当初设计时就大展宏图了。

（134）"还有五六段话是用第三种语言讲的。"斯潘泽雷里说道，这种语言，每个词很短，带有音乐性，与计算机掌握的地球上的任何语言都不同。"

（135）又有新的发现。木乃伊七号输的是 O 型血，但它正被一种新的血红蛋白分子所取代。就是说，他的体内逐渐造出自己的红细胞。

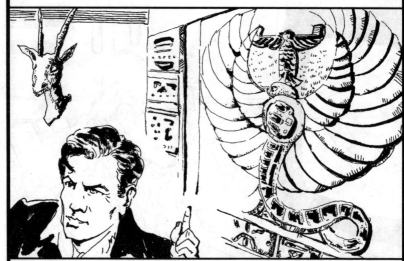

（136）"昨天，我们发现木乃伊七号的血红蛋白分子与其他正常血红蛋白分子根本不同。替代分子链上的一个正常氨基酸的，根本不是一种氨基酸，而是纤维素，用于植物的一种化合物。"史密斯教授说。

（137）史密斯继续说："用遗传工程解释，拿这种方法制造一个能长期生存的机体或人，是可能办到的。许多孢子、病毒和形形色色的植物，处于不活动状态能存活极长时间，还能耐低和高的温度。"

（138）一位大胡子站起来。"我不明白"，他说，"你们一面说他的脑内出血可能死亡，一面又说他血红蛋白分子有变异，因而他组织细胞是不朽的生命，这不是自相矛盾吗？"

（139）"那倒不一定，"史密斯答道，"埃及人的脑子发生故障，他的全身功能即将停止，但各器官却继续存活。"

（140）阿布杜尔从埃及赶来。"我考虑两个问题，"阿布杜尔说，"首先，他不会走远，古代埃及人总是徒步跋涉的，他不会改变这习惯；其次，一定有人帮他的忙，供他食物和衣着。"

（141）　在史密斯报告后七天，雷利收到天文台霍金斯的手书。
"……我在小屋里见到一个人，他在画一些可笑的图画……"

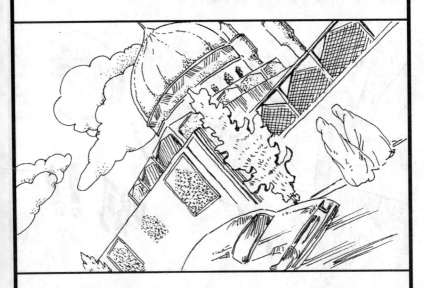

（142）我驱车到天文台，去找霍金斯。天文台守卫对我说："他失
去知觉了。""失去知觉？难道木乃伊七号又把他变成哑巴？"

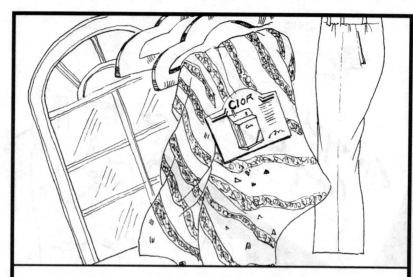

（143）我找到霍金斯的小屋。小屋里整齐清洁,我走到床前,床底下空空的。我打开盥洗室,里面有三个衣架,两个晾着男人的衬衫和裤子,一个晾着女人的毛线衫和披巾。

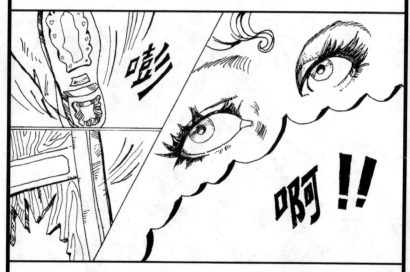

（144）突然,有声音朝屋里走来。我躲进盥洗室,有人走了进来,门慢慢地动了,我拼命一脚把门踢开。一声尖叫把我惊得毛骨直竖。

（145）万万没想到站在眼前的竟是护士詹妮弗。我的一些谜团开始破解了。"这么说，把食物和衣服送给他的就是你罗！"

（146）"你不能把他送回医院，"她打断我的话，"如果他见到你，就麻烦了。我会解释给你听，现在趁他没有回来以前你走吧。"

（147）"好吧,"我终于答应,"下午2点到医院食堂找我,把全部情况告诉我。"

沒！

（148）下午,我们在食堂碰面。詹妮弗告诉我,跟他在一起,她一点儿没觉得危险。他吃得少,主要吃素菜,带绿叶的素菜。

（149）我问："盥洗室有女人衣服是怎么回事？"詹妮弗说："他指着报上的妇女服装，我带了一件羊毛衫和一条披巾给他，不明白他有什么用途。"

（150）我们讨论起木乃伊七号的命运，詹妮弗认为应该尊重他的选择，而不能将我们的意愿强加于他。

（151）晚上，我们几个来到天文台，阿布杜尔说："我受到的教育，认为应把他送回医院。但我的埃及天性却使我认为这样做是悖乎情理的。也许我们应该让他安安静静离开人间。"

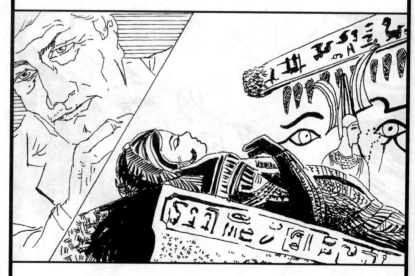

（152）"木乃伊七号躲在小屋里，是为了接近天文台。他想确定自己的方向，确定如今的时间。"雷利想了许久说。

（153）天文台台长说了一件怪事。"我们正在追踪一个星云，调好望远镜；第二天早晨发现望远镜转了方向，把我们的目标丢了，没有破门而入的迹象。"

（154）"第二天检查磁带，发现有四个数据编进了计算机程序。数据正确，但不是我们编的。还有两个数据虽已编进程序，但没有应用。"

（155）突然，是阿布杜尔，他找雷利教授。"出什么事了？"我问。"还不清楚。"雷利皱眉，"阿布杜尔说在小屋附近听到枪响。"

（156）我们赶到小屋。屋角站着两个身穿警察制服的人，两眼直瞪瞪的，一动不动，像是蜡人。

（157）"我猜他今晚会去天文台，他那叠数学计算被他从小屋里带走,这不是毫无原因的。"

汪!!

（158）"砰"一声门开了！吓了我们一跳。门外探进两排白森森的牙齿,一声狂吼。原来,是天文台的德国牧羊犬。我们把两条狗忘了。

（159）半夜里，我正打盹，"来人啦！"雷利耳语。只见观测室穹顶上的巨门徐徐打开了，整个穹顶旋转起来，顺时针方向转了15度。

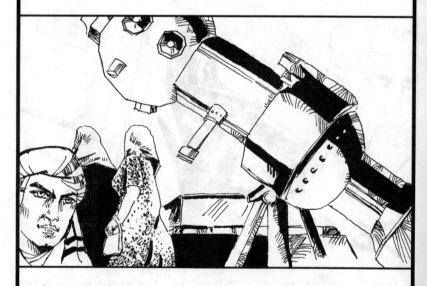

（160）在星光下，那条人影朝望远镜底下走去，然后爬上一座通往望远镜中部的观测站小小梯。

（161）我们等候着。人影来到梯顶，凑近望远镜目镜，传动装置又开动了。穹顶又旋转10度，望远镜的角度也有了改变。

（162）突然，一声呻吟，又是一声叫喊，这是剧烈的疼痛所引起的。人影从小梯上滑下，"砰"的一声，重重地摔在地上。

（163）我看那从梯上掉下的人，不错，正是木乃伊七号。他满脸怒容，左手捂着脑袋，右臂无力地垂在一旁。

（164）木乃伊七号朝我们转过脸来，他站直身子，放下左手，两眼似乎炽热起来，发出浊红的光。木乃伊七号颓然倒地，仪表板上一声爆炸，操纵台上吐出火舌。

（165）我冲过去扶住他。他已不行了。浑身抽搐片刻以后,他挣扎着抬起头来,那种音乐性很强的语言喷涌而出。

（166）雷利俯身去摸他的脉膊,脉膊没有了。他掰开他的眼皮,只见左侧的瞳孔明显散大,右侧的却挺小。脑内的动脉瘤终于破裂出血了。

（167）晨光熹微之中，一个人站在溪谷边上，是阿布杜尔。见我走近，他开口了，说得很慢，"都结束了。他历尽千难万险，该把他送回去了。"

（168）这天早晨，我们把他葬入斯芬克斯谷了。我们跋涉一万五千英里，耗资 51 万美元，把他送回到他的埃及老家。

（169）我们猜测，木乃伊七号来自太空，一场可怕的事故使他摔进沙漠之中。他遣散了他的伙伴，他们在沙漠中消失了。埃及人发现了他，发现他具有神奇之力。后来他成为一位大祭司。

（170）木乃伊七号可能用某种方法改变了埃及人制作木乃伊和埋葬死者的习俗，使自己在死后埋在一个与世隔绝的地方——一个石质地窟之中。

（171）木乃伊七号渴望得到救援自己的信号，五千年过去了，他所得到的还是沉默。他多么失望！但如果他走运，他墓室还在，也许有一艘奇怪的船，穿过我们的银河，来寻找生命的迹象。

（172）正因为如此，我们埋葬了他，埋在我们发现他的地方，那里的图形文字说他来自努比亚沙漠，能"驯服野兽"，能"化人为石"。

编文　赵　勤　卢克辉

绘图　张静安　屈楚生
　　　吴天力　曲翔飞

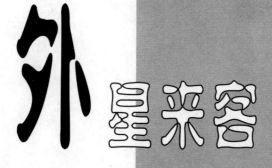

外星来客

(1)我把车子停好,走出来摘下墨镜。正如老探长兹古特向我介绍的那样:两层楼的旅馆,黄绿色,门廊上方挂着"附近有登山运动员罹难"的招牌。

(2)台阶上出现一个人,秃顶、矮胖,拖着笨重的身躯,见我正看招牌,就说:"出事地点在那边,弹簧钩断了,从200米高处笔直地摔下来——往死神怀里摔。"

(3)"请允许我介绍自己," 他用指甲仔细地理着笔尖,"我是旅馆老板兼机械师亚力克·斯涅瓦尔。""我叫格列泼斯基,探长。我正在休假。"

(4)"我们6点开午饭,"老板介绍,"任何时间都有小吃,有饮料,晚上9点供应便饭,跳舞、打桌球、聊天,都在壁炉间。"

(5)"还有哪些人住在这里?"我问。"摩西先生和夫人,他们住 1 号和 2 号房,3 号房也是他们包了的。不过没人住。夫人是大美人。还有,西蒙纳也住旅馆里,迪•巴恩斯托克也在……"

(6)"迪•巴恩斯托克?真是他本人吗""不知道,还有布柳恩……他们都是骑摩托车,穿短裤,也是个调皮鬼,太年轻了。"

297

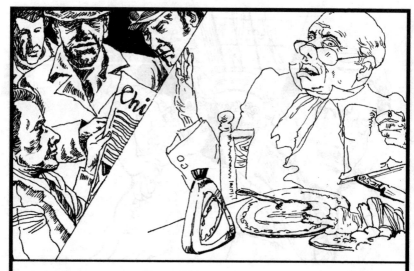

(7)"还有几个人，"老板犹豫了一下，说他们才到。就是有点……他们光站着，不睡，不吃，就这么站着过夜……" "听不懂。"我老实地说。

(8)25岁的服务员卡依莎说："真是一群怪人！他们喜欢打铃叫我，我去了，又一个人没有。"

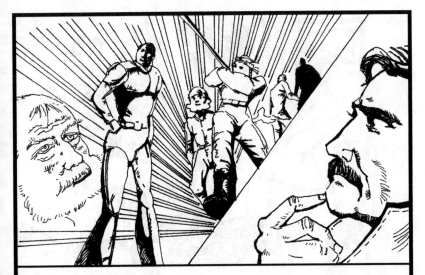

(9)我正是为了放松绷紧的大脑才来此地休假的。但是,老板和女服务员的话还是留在我的脑中:那些站着过夜的人。他们不吃、不喝,只会留下脚印……

(10)一阵严厉的话语吸引我的目光。一个中年人正训斥一个懒洋洋倒在沙发上的年轻人。年轻人纤瘦、白皙的脸一半遮在墨镜里,黑发蓬乱裹在红色围巾里,看不出是男是女。

(11)"我叫迪·巴恩斯托克，"他的声音像唱歌。我介绍了自己。

(12)边上一位客人向我行军礼，笔直地立正，"请允许我介绍，我是上尉西蒙纳，搞控制论工作。""请随便点，"我们握了握手。

(13)"您是来调查死去的登山运动员?"上尉问。"不,是为躲开各类案子,来这里休息一下的。"

(14)旅馆里发生了些怪事。巴恩斯托克的皮鞋失踪了,后来在陈列室找到。西蒙纳说有人偷看他的专业书籍,还在书上写眉批;老板说今天发现丢了的烟斗和报纸。

(15)"怪事也不单我们旅馆才有，"巴恩斯托克说，"比方说飞碟……"他继续说："茫茫宇宙也不只住着我们这些人群，据学者估计，仅银河系就可能有100万个适合生物居住的太阳系。"

(16)餐厅大门突然开了，门口出现一位怪人，肥胖臃肿，穿中世纪式的背心和缀有将级金色饰条的军裤。"奥丽加，"怪人吼叫，"快给我上汤!"

(17)摩西夫人以同她身分不般配的急促动作,跑到桌边盛汤。怪人抖动腮帮,他就是摩西先生,举着金属杯子,旁若无人地在摩西夫人对面坐下来。

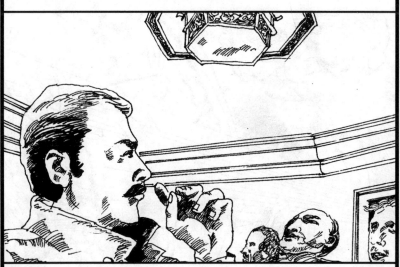

(18)摩西从金属杯里呷了一口,转身对老板说:"找到那个偷皮鞋的坏蛋没有?探长,这是您管的事,有空查一下。还有人从窗外偷看女人。"

303

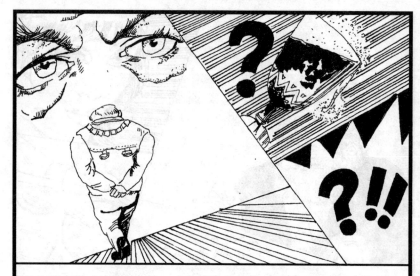

(19)所有的人都在考虑一个问题,为什么摩西先生要穿滑稽的犹太人式上衣? 那只金属杯子有什么奥秘? 为什么金属杯总是喝不完?

(20)老板问摩西:"谁建议您惠顾本店?"他没有回答,从皮夹里抽出一张100美金的钞票用打火机点燃,然后点烟,"先生,摩西从来不要别人的建议,我到处为家。"

(21)"这个发了疯的百万富翁,不知道为什么来这儿,是百万富翁不假,"老板说,"别人来这里都是为了滑雪,或者爬坡,他从不在我们河谷蹓跶。我这里是死胡同,上哪儿去都走不通。"

(22)"巴恩斯托克先生,他每年来我这里,差不多30年了。他对我的清凉饮料着迷。不过,我发现摩西先生一瓶也没有要过。"

(23)老板压低声音，"摩西太太，我认为摩西经常打她。摩西有条长鞭子。他为什么要有鞭子？"

(24)我看到那个年轻人来了。"布柳恩，"我说，"能不能把墨镜摘下来？""为什么？""我想看看您的脸。"原来布柳恩是一个非常可爱的姑娘。

(25)"我感到害怕，"她说，"有人敲了我的房门，我以为是叔叔，不是，我叔叔睡了。他躺在地板上，书放在旁边。我以为他死了。"

(26)我走到前厅，门开了。一个满身是雪，手拿皮箱的高个子走进来，他朝我笑笑，愉快地说："我叫奥拉弗·恩德拉福斯。"我也介绍了自己。

(27)傍晚,我想洗澡。可浴室有人占着,还边洗边唱歌。两小时后还没洗完。我愤懑地推门,里面没有人。热水笼头开着,一台收音机放出歌声。

(28)我走进淋浴间把门从里面锁上,后来,我洗好浴走出淋浴间时,不少旅客聚在大厅中聊天。

(29)"西蒙纳也在那个地方吧?"我问。"哪个地方?"欣库斯说话结巴,他小心地把满杯酒举到嘴边。"我是指屋顶。"我说。

(30)欣库斯听了我的话手抖了一下,白兰地淌了一手。他急忙把酒喝干,鼻子深吸口气,用手擦擦嘴说:"不,那上面没有人。"我惊讶地望着他。

(31) 欣库斯喝光第三杯酒，忽然说："您不想到屋顶上晒太阳？""不，"我回答，"我怕热，再说，我的皮肤过敏。""你从未上屋顶晒过太阳？""没有。"

(32)"那上面空气不错，"他说，"风景也好，整个河谷可以看得清清楚楚，还有山。"

(33)摩西夫人双手提着艳丽的连衣裙下摆,正从屋顶的楼梯上下来,露出迷人的笑容。"您去晒太阳?"我冒出一句蠢话。摩西夫人走到我面前,"您的想法太古怪,探长。"

(34)不知为什么我会扶着她的手,带她到桌球室去,她的手白皙,但不柔软,还凉得出奇。"夫人,"我惊讶地说,"您着凉了。"

(35)"我们可以玩一回桌球,怎么样,夫人。"我劝她,"不然上楼找奥拉弗去玩玩牌。"不知为什么,我很想让她快乐起来。

(36)这时,摩西冲了进来,哑着嗓子说,"是哪个无赖,他老在旅馆里偷人东西,每天夜里在走廊上跺脚,还从窗子上偷看我妻子。"

(37)"您丢东西了?"我皱着眉问摩西。"是的。我的表!""什么时候丢的?""刚才。""写个申请报案。""明天还没有找到,我就写申请。"

(38)回屋时,发现房门上贴着字条,桌面上也有字条:"一个凶恶的匪徒,用欣库斯名字住进旅馆,他在代号"黑鸦"的犯罪集团中声名显赫,身携武器,对一名旅客构成威胁。"

(39)我把桌上的字条同门上字条做比较,都是印刷体,都难辨认,但它们都是铅笔写的。

(40)我从老板写字台上偷来一串钥匙,试着去开欣库斯的房门。第6把钥匙门开了。我潜入房间,两只旅行包放在屋中央。

(41)第一只包里有乱七八糟的破布,第二只包里有三套换洗衣服、化妆品盒、一捆钞票、墨镜盒、一瓶外国酒。在包底找到了金表和女用勃朗宁手枪。

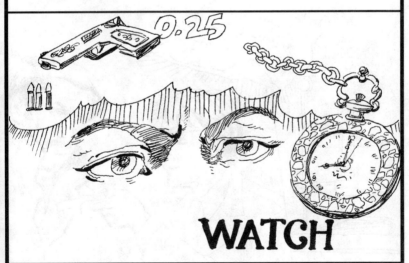

(42)我看那只表,表壳上刻着复杂的花写字母、赤金,这无疑是摩西先生的,又看手枪,0.25口径,这不能算武器。

(43)我溜出欣库斯房间,遇到巴恩斯托克,他灵巧地从我胸兜里抽出一张牌。"就是这张黑桃爱司,我最后赢了可怜的奥拉弗。"

(44)"这是我今天收到的。" 巴恩斯托克递给我一张揉皱了的纸团。上面写着:"我们找到了您,枪口对着您。别想逃,也别想做蠢事,什么时候开枪,我们不通知。费宁。"

(45)"这纸团是怎么到您手的?"我问。"当时我们在奥拉弗房里,奥拉弗出去搞酒。我坐着抽雪茄。有人敲门,我过去开门,但没人进来,门底下有一张字条。"

(46)这时,欣库斯慌张地找到我,小声说:"刚才我去翻旅行包,想找药,医生关照我午饭前吃的。我发现有几件不是我的东西,破布、书还有别的,塞进了我的包里。"

(47)我突然想到,这一切会不会是有人恶作剧?比如说,布柳恩,这个爱把自己装成男孩子的姑娘。

(48)自从来到这个山谷旅馆之后,我发现自己根本不能让大脑轻松悠闲下来。旅馆里的种种事情又一次引起我职业的习惯——搞清楚它!

(49)正在这时,摩西夫人走到我面前邀我跳舞,我立刻欣然同意。

(50)我搂着她的纤腰,她把头伏在我肩上说,"你看,外面的风景多么迷人!"她突如其来地对我这样亲昵,使我的心头激起一阵骚动。

(51)"可怜的欣库斯……"我看到欣库斯孤单一人,"他得了肺病,所以他害怕。""他可怜什么?一位形迹可疑的先生。"摩西夫人说。

(52)奥拉弗已经是第三次遭到旅馆的狗莱丽的袭击。我喜欢这条狗,我拍着它的脖子说:"你很棒,莱丽!"

(53)午后,旅馆外突然传来一阵天崩地裂的轰隆声。附近一座山崩塌了。崩塌的山石阻断了山谷通往外面的道路。

(54)"就一件事使我不安,我有一种失掉好主顾的感觉。"老板不安地说。"怎么会呢?"我说,"他们全在这里,至少,在20天内不会再有选择旅馆的机会。"

(55)"欣库斯的朋友本来是要来的。"老板说。"欣库斯的朋友?"我感到奇怪,"他对你说过等什么人吗?""他在电话上对缪尔电报局口述过一份电报。"

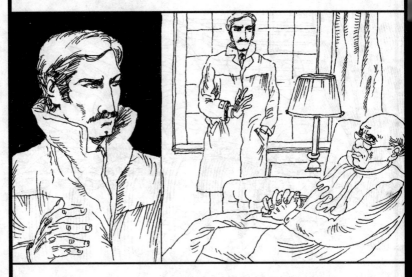

(56)"什么内容?""缪尔,罹难登山者旅馆,我在等待,请尽快来。内容大概就这些。"

(57)大狗忽然跳起来叫了一声,老板朝它看了一眼:"莫名其妙!"莱丽又叫了两声,然后向大厅跑去。大门开了,一个满身是雪的人跌进门里。

(58)我们跑过去把他抬到大厅。雪人的眼睛闭着,鼻子发白,嘴里不住地哼着。我按老板吩咐夹住他的胳肢窝,发现他缺右手右臂,是个独臂人。他一定是欣库斯等的人!

(59)我奔到屋顶,摇欣库斯肩膀:"欣库斯!"他的皮大衣敞开了,里面全是雪,皮帽子掉在地上,欣库斯不见了!

(60)我冲进欣库斯房间,两只包仍在屋中央,里面的东西还是老样子,不过金表和勃朗宁手枪不见了。但一捆钞票还在。

(61)陌生人躺着,被子裹到下腭,老板用调羹喂他热水:"先生,发发汗!"陌生人脸发青,鼻子白得像雪,一只眼眯着,一只眼闭着,嘴里哼着。

(62)"奥拉弗·恩德拉……福斯……"陌生人脸上没一丝表情,"请去叫他来。""我马上去叫他。"老板答应。

(63)老板出去了。我觉得自己像个白痴,同时也感到轻松,我精心编制的侦破方案,总算有了答案。原来他不是来找欣库斯的。

(64)"亚力克,"我说,"把卡依莎叫来,让她坐在陌生人身边,在我们回来之前,别离开。"我踏上楼梯,听到老板吆喝:"莱丽,坐在这里,不准放任何人过去。"

(65)我敲奥拉弗门,见门上贴的字条:"依约前来,未能晤面。若阁下未打消翻本念头,我在11点之前再来奉陪。迪·巴"

(66)隔壁房门打开了。"出什么事了?"迪·巴恩斯托克问,"为什么不让人睡觉?"老板说,"有个陌生人,他要找奥拉弗先生。"

(67)门开了,一个人躺在地板上,只看见一双大脚。我打开电灯,地板上躺着滑雪王子奥拉弗·恩德拉福斯,他死了。

(68)锁好门,贴上封条。巴恩斯托克在我背后叽咕:"还没翻本就……""请回到自己房间去,"我对他说,"门锁好,坐在那里。这门上的字条是您写的?"

(69)"是我写的,我……""行啦!以后再……"我说,"您走吧!"

(70)我回到房间打开奥拉弗的箱子,箱子里只有一只表面粗糙的金属盒子,上面五颜六色的按钮,嵌着游标玻璃的有孔洞的仪器。

(71)死者的头被扭成180度,脸孔朝天花板。双臂伸直,右手有一串木珠项链,这是卡仪莎的。

(72)死者瞪眼,龇牙咧嘴,嘴里有股淡淡的化合物气息,是石碳酸还是福尔马林。

(73)根据判断,奥拉弗·恩德拉福斯的死,特别是脖子扭成这样,是被一种超人的力量弄的。

(74)现在得考虑:卡依莎的项链,巴·恩斯托克的字条。巴恩斯托和西蒙纳是否听到什么。这时,我听见对面陈列室传来"啪啪"的敲击声。

(75)待我冲进陈列室,敲打的声音陡然停止了。我在盥洗间、橱柜、门窗帘后面搜了一遍,背后传来类似牛哞哞叫的含混声音。

(76)"给我爬出来!"我命令。我朝桌肚底下瞥了一眼,一个人捆在那儿,嘴里塞满破布。正是"凶恶匪徒"欣库斯。

(77)他吃力地抬左手,捋起袖口,"糟糕,表坏了!现在几点,探长?"欣库斯问。"夜里一点。"

(78)"旅馆里发生了凶杀案,您老实回答我的问题,您要滑头,把您揍得鼻青脸肿!""我怎知道?我离开餐厅,大家全活着,后来……"

(79)"后来怎样?"我追问。"我在屋顶上打瞌睡。突然我感到胸闷气喘，痛得在地上打滚，后来就什么也不知道了。"

(80)"当时的时间?""我最后一次看表是 8 点 40 分，大约在 9 点。"我拿过他的表，表压坏了，时针已断，分针指着 43 分。

(81)我用两个指头抓住他下颌,托起他的头,见他脖子上面有青紫伤痕。"别扯谎啦,那人是从前面掐您,您一定看到他是谁?"他吼起来:"我没有打死人,不关我的事!"

(82)"是谁捆的?"他绝望地叫:"我是看见了,我不想告诉我的对头,您鬼迷心窍,您妄想!"

335

(83)欣库斯为什么老呆在屋顶上?收拾欣库斯的人为什么让他感到异常恐怖,使他不敢吐露半点真情。

(84)我让欣库斯带着酒,把他锁在房间里。"这没有用处!"他在我背后嘟哝,我去找巴恩斯托克。

336

(85)"你都干了什么?"我问巴恩斯托克。"我承认,我在旅馆制造神秘气氛,故布疑阵,我只是开玩笑……"巴恩斯托克认错说。

(86)"您说的玩笑指那一方面?"我非常恼火。他结结巴巴说:"我借死去的登山运动员,搞了许多骗局。把皮鞋偷放,淋浴间的迷阵,烟缸里的烟雾……"

(87)"谁涂脏我桌子?"我厉声问。"满桌涂满胶水,无法弄干净。这不构成犯罪,老板挺欣赏这手。"

(88)"老板同您串通了?""老板也喜欢玩这类把戏,他骗你几次,你没有发觉。"

(89)"走廊上的湿脚印呢?""光着脚的湿印,从楼梯过道一直走到陈列室,这也是开玩笑,但不是我。"

(90)"从门底下塞进来的字条也是您写的?""我是转交,不是我写的。"他肯定说。

(91)"我记得钟敲 10 下,大厅里只有布柳恩和奥拉弗还在跳。"巴恩斯托克拍拍脑门说,"我只知道这些。"

(92)我向他道过晚安,去找布柳恩。但看到走廊尽头那扇房门关上,我转身到西蒙纳那儿去。

(93)西蒙纳一脸惊恐,他哆嗦地说:"律师在场,我才说话。""你要律师干吗?"我奇怪地问。他忽然神经质地抓住我:"我没有杀摩西夫人!"

(94)他终于向我全吐了出来:"她早就暗示我,我一直不敢下决心。这次喝了几杯酒,我下了决心。我偷偷溜进她房间,房里没有开灯。"

(95)我轻轻地唤她,她不吭声。我一把抱住了她。我甚至没有来得及吻她。她身子冷得像冰,僵硬得像木头!她死了!"

(96)又死了一个!我同西蒙纳来到摩西夫人的房间。房内亮着紫红色落地柱状大灯,漂亮的摩西夫人坐在沙发上看,见我们进门,露出微笑。西蒙纳惊叫一声,差点晕过去。

(97)"又是玩笑!都有多少人参与了?"我问西蒙纳。"是巴恩斯托克开的头,以后大家积极仿效,老板是最积极的一个。"

(98)"你呢?""我偷看摩西夫人,还从空房间打铃叫卡侬莎,我光着脚在走廊上说,留下湿脚印,我还打算制造鬼魂魔影,现在放弃了。"西蒙纳全抖了出来。

(99) 我把奥拉弗的仪表箱子打开，西蒙纳从箱子里取出仪表说："从仪表精密度和 Q 因子看，可能是军用品或宇航用品。"

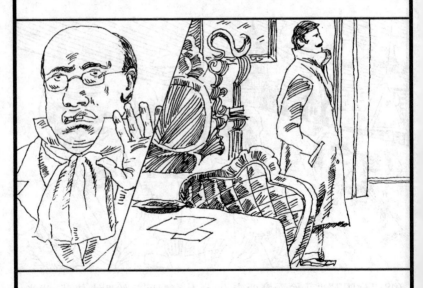

(100)我对老板说："这箱子藏在你保险柜里，钥匙放在我身边。你把卡依沙叫来，我要问她几个问题。"

(101)我一边喝咖啡,一边查问卡依莎。她笑嘻嘻地说:"奥拉弗把我的项链拿走了,说这是纪念品,他真淘气。"问完卡依莎,我去找老板。

(102)老板说:"您问哪些人在9点到9点半之间离开餐厅?首先是卡依莎,其次是奥拉弗,再后来巴恩斯托克和布柳恩。布柳恩同奥拉弗一起……"

(103)"欣库斯呢?""午饭前见过几次,大家都到外面的时候,我见过,他从我办公室往缪尔发电报,再后来他像是往屋顶走;还有一次,他在小卖部喝白兰地。"

(104)我去敲布柳恩的房门,听到光脚走路和怒气冲冲的声音:"哪个混蛋?""我是格列泼斯基。"

(105)"奥拉弗被人杀了！你们一起离开餐厅后到哪里去了？""就在走廊上。"布柳恩正在惊吓之中。

(106)"后来怎样了？"布柳恩小声说："讲不出口，说这个不好，因为奥拉弗已死了。"

(107)布柳恩经过开导，抬起头，"开始是说笑话：是未婚夫还是未婚妻，后来我们出去，他想摸我，我打了他耳光……""后来怎样？"

(108)"他感到委屈，就放开我走了，我做得过分了一点。""他去哪里了？"

(109)"您最后一次见到欣库斯在什么时间?" 布柳恩感到一阵惶惑。"在走廊上,当时我同奥拉弗刚从餐厅出来,见他朝楼梯走去。"

(110)我来到欣库斯房间。浑身是汗的欣库斯张嘴瞪眼,手里攥着一把小刀。见了我,他忽然大笑,"我自己捆自己……"

349

(111)我走去向摩西夫妇了解情况。"您同摩西夫人是什么时间离开餐厅的?"摩西把杯子举到嘴边,威胁地瞥了我一眼。"在当地时间 21 点 33 分两秒。您满意了吧?"

(112)"离开餐厅后,你们去了哪儿""摩西凶狠地问:"难道您想打听我们夫妻回房间后做了哪些事?"

(113)我向摩西又提出一个问题,但他威胁我说,这是最后一个问题。"摩西夫人什么时间离开过餐厅?""我允许您当我的面提问题,但不得超过两个,跟我来。"他用不自然的语气说。

(114)摩西快步走到夫人面前,吻了她的手,倒在沙发上。"探长,这是个迷人的夜晚,对吗?"摩西夫人说。我冷冷地说:"夫人,昨晚9点半左右您离开过餐厅?""对。"

(115)"您从餐厅下楼去您的房间，而 10 点刚过您又回到了餐厅，是这样吧?""是的,时间不能完全肯定,因我没有看表。"

(116)"您碰到了谁没有?""我回餐厅,在走廊上看到了一对,一个是奥拉弗,一个是小伙还是姑娘,他们站在楼梯左边。"

(117)"您肯定他们站在楼梯左边?还碰到什么人？""我继续问。
"是的,他们手拉手在那里亲热。"摩西夫人往下说,"下楼时,我
碰到那个矮子。"

(118)"您是在什么时间碰到欣库斯的? 他在什么时间离开大厅上
楼的?"摩西听得不耐烦吼叫起来。"不必生气,摩西。"摩西夫人
温存地劝摩西。

(119)"他穿什么衣服?"我问。"一件可怕的大衣,叫什么来着,叫皮袄!皮袄上湿漉漉的,有狗毛气味。"摩西又喊叫起来,不准我再问下去。

(120)"舞会结束,您说回房睡觉,可我无意走进您房间——请原谅——您并没有睡觉。"我耐着性子说。"我确实没有睡,但我不能告诉您,我没有听到什么声音。"

(121)"午饭前不久,您上过屋顶,摩西夫人。"她笑了,"我没有上屋顶,我从大厅上了二楼。"我以为她没理由上二楼,这与西蒙纳有关。此时,摩西膝盖上放了鞭子,我感到恐惧。

(122)下一步我该怎么办?一桩典型的闭门凶杀案,可我连凶手在哪里都没有弄清。

(123) 老板宽容地对我大笑，问我想不想听一段奇闻。"您说说看。"我当然感到兴趣。"物理学家爬到摩西夫人床上去了，他发现床上的活美女变成不会呼吸的模特儿，是个木偶。"

(124)"现实中有这种现象，"老板说得神乎其事，"死人可能有活人表情，看上去像活人，这叫尸魔，严格地说尸魔是活人。"

(125)我打断他的话,"您的这些话到小报记者面前去说,我不感兴趣。有关摩西夫人与西蒙纳的事告诉我。"

(126)老板遗憾地说:"我记好护照,去摩西夫人房间归还护照。我进房门,见沙发上坐着一个人——她是一个木偶美人,非常像摩西夫人。"

(127)"我惊愕之中肩膀给抓住了,并被有力的手推到了走廊上,这人是摩西先生。""摩西夫人是木偶?"我思考着。

(128)"是尸魔。"老板纠正我。我想了一下,然后对老板说,魔西有的是钱,他有一个模特儿妻子,也许专门用来对付像西蒙纳那种图谋不轨的人。

(129)我又来到布柳恩房间,我命令她把墨镜摘下来。我叹了一口气说:"你对我说的不是实。" 她用双手捂住脸:"我们在他房间里。"

(130)布柳恩恢复了生气,"我们在房间里接吻,感到相当快乐。记不清有多久,只记得他掏出一串项链,戴在我脖子上,这时有轰鸣声,我说,山崩,他放开我,跪到窗前,又回来抓住我肩把我推到走廊上,他关上了门。"

359

(131)"上次您说看到欣库斯,在什么地方?""我们从餐厅到走廊,看到了他,他正好从走廊拐到楼梯口。"

(132)"在你们接吻时,您有没有发现他嘴里有奇怪的味道?"我进一步追问她。"没有。"布柳恩气愤地对我说。

(133)"你有没有发现异常情形?""没有看到,"布柳恩说,"不过是闲聊,说笑话,说过摩托车,滑雪,他是机械师,对任何发动机都研究。"

(134)我对老板排除了怀疑,老板对我的态度感到惊奇,我对老板说,"您坐在这里,小心看住独臂人。"

(135)我去查了地下室,淋浴间,检查过车库、锅炉旁、发电机房,甚至还爬到地下储盐库房,没有发现可疑迹象。

(136)老板见我那副狼狈相,笑着说:"那个可怜虫一醒过来就喊妈妈,其实他喊的是奥拉弗。""我现在就去。"我甩掉上衣说。

(137)我开始盘问怪人。"您的姓名,做什么工作?""鲁尔维克,我叫鲁尔维克。"他呆板地说:"我是机械师兼司机。"

(138)"您是外国人?为什么到这里来?""我是道地的瑞典人。"奥拉弗在这儿,我来同他联系。"

(139)摩西拿着金属杯子闯进来,我不客气地要他离开,他不理睬我。"我只是看看,你让谁住进我的房间。"我示意他赶快离开,他凶狠地提出抗议。

(140)"这是奥拉弗吗?"鲁尔维克问。"奥拉弗被人打死了,"听了我的话,他没有一点伤感,我问,"他是否有东西给您?"他摇了摇头。

(141)经过查问,那些派鲁尔维克带来某项任务来找奥拉弗的人不认识奥拉弗,而鲁尔维克也不认识他。

(142)我跨进前厅让他看奥拉弗的尸体,他极其冷漠地俯视尸体,他的唯一的一只手放在背后,他承认这是奥拉弗,因为他早先见过面。

(143)鲁尔维克提出奥拉弗有一只箱子,他要拿走。我对他说这需要证实一下。但他坚持说,"我不愿意,我累了,让我走吧。"

(144)莱丽把我弄醒。我的视线一落到小桌上,就愣住了。桌面上同老板单据和计算器放在一起的,是一支黑色短枪。我后悔没搜查欣库斯本人。

(145)我赶紧退出子弹,全部都是银弹头。我用眼睛问莱丽,从哪里弄来的?莱丽会意地朝大门跑去。

(146)绕到旅馆后面,莱丽在离旅馆50米处停下来,我看到雪地上的凹坑,莱丽从这里刨出短枪,显然短枪是从屋顶上扔下来的,也许是欣库斯扔的。

(147)老板问我有没有新的发现,我告诉他莱丽衔到一支短枪。老板好奇地问:"您查到是谁的?""有一个捉鬼能手,他就是欣库斯。"说完我就走了。

(148)鲁尔维克挡住我的去路,我对他说,箱子也不能给他。他说出真相:"奥拉弗偷走箱子,我接到命令追回箱子,其实是匣子,里面有仪器。奥拉弗不是打死的,是自己死的。"

368

(149)鲁尔维克见讨不到箱子,就掏出一大叠钱,要买下箱子。

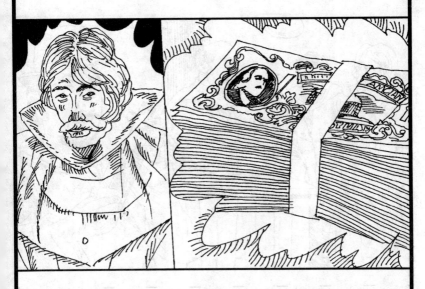

(150)鲁尔维克见我坐着不动,又掏出一叠钱来,我严正指出钱不是他的,而且要没收这些钱。

(151)我拉着鲁尔维克的空袖子,把他带到办公室,叫来老板,点清钞票,写了收据,有8万多,我在收据上签了名。

(152)我们把鲁尔维克带到餐厅,摩西首先同他打招呼,在这时,欣库斯出现了,他脸上的表情起了变化。

(153)欣库斯与我对面坐着。猛然间,他扑过来抓住我两条腿,用力把我摔在地板上。

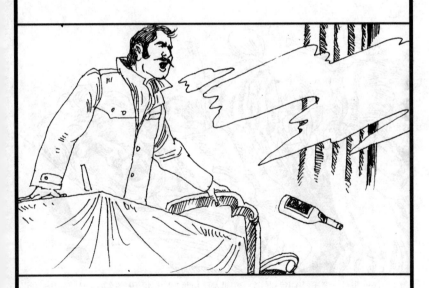

(154) 他恶狠狠地对着我:"把我怎么办呢?""如果你再说一句瞎话,就得当心点,你把我的两颗牙打松了,您这恶棍!"我怒骂着。

(155)欣库斯不得不招认："我是钦皮翁派来的,他找到维利泽符,他作案两次,枪劫国家第二银行是第一次,袭击装金块的装甲汽车是第二次,他突然不干了,我们被派出来拦截他,钦皮翁要宰了他。"

(156)"费宁,"我严厉地说,"别胡扯啦!""维利泽符认出了我,他看到我在屋顶上,不让他活着从屋里出去,他派婆娘到我这里,扮成我的样子,维利泽符要么骗我,要么把我吓死,他看没有结果,就动用武力。"

(157)我听完他的招认，就问他子弹为什么用银弹头，他说铅弹头打不到有变形术的人。

(158)我早上看到巴恩斯托克惊呆了，这个假巴恩斯托克，实际上是维利泽符。"奥拉弗怎么打死的?"我问。欣库斯坚决地说:"奥拉弗并不是人，而是干了坏事的工具，就像维利泽符一样。"

(159)"在袭击我们的时候,有什么打算?""我想逃,但不知逃到哪里?"欣库斯伤心地说:"我是排 3 号的名人,逃也逃不掉。我决定夺支短枪,干掉该死的家伙,然后到山崩的地方。"

(160)我问欣库斯,有多少人随钦皮翁来,他说不会少于三个人,都是最精锐的。

(161)西蒙纳冷笑一声。"没有妖魔,摩西不是人类,我们的老板在这方面是对的。摩西和鲁尔维克都不是地球人。""那他们是从金星来的啦!"我不能相信。

(162)西蒙纳继续对我说,他们也可能来自别的星球或空间,他们不是人类,摩西到地球一年多了,一个半月前,他落到匪帮手中,他们恐吓、讹诈,好不容易才逃到这里来,鲁尔维克是领航员,他管调度。

(163)西蒙纳接着告诉我,他们昨夜本该起程,但昨晚 10 点出了事故,他们设备里一个什么东西爆炸了,结果引出了山崩,匪徒比警察早赶到这里,就会把他们打死。

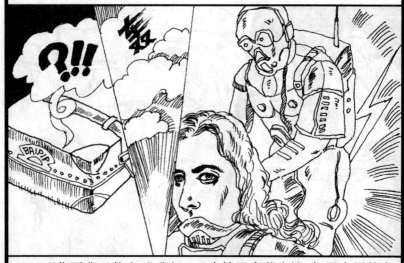

(164)"你要我干什么?"我问。"皮箱里有蓄电池,机器人用的电能。奥拉弗没有死,他是机器人,摩西夫人也是机器人。在爆炸时,他们的发电站毁了,不再供电,摩西亲自为摩西夫人接上了电池,奥拉弗没有接。"

(165)"他甚至能把自己的脖子拧 180 度?"我不解地问。"这在他们是一种濒死现象,拧松关节,假肌肉匀称地紧张,摩西夫人的脖子也是反拧过来的。"

(166)西蒙纳劝我让摩西和鲁尔维克逃跑,这样匪徒打来就不会完蛋,而且良心也会安宁。我坚持说,如果这样,我警察的良心不会安宁。

(167)西蒙纳坚持他的意见,摩西是被拉进去的,他不是匪徒。我说他至少监禁 25 年。

(168)摩西拿着金属杯子对我说,"不是事故,我早走了。我准备把国家银行的纸币折换成总数 100 万克朗交还给你们,其余部分贵国将得到黄金,你们还要什么?"我还有不明白的地方。

(169)我对摩西说,谁弄脏桌子,贴上字条,金表是怎么回事,他都承认是他干的,还说勃朗宁手枪也是他干的,他想叫我拘捕欣库斯。

(170)我对摩西骂开了:"维利泽符先生,您算外星人吗?您是坏蛋,您贪财、好色,而且您是酒鬼。"摩西喝了一口。"我们机器人像真人,摩西先生是一件密封的宇航服,他的声音,是一个转插装置。"

(171)我向摩西箱子是怎么回事,他告诉我,电站毁了,只有奥拉弗能修,他是电站机器人,检查员,奥拉弗被切断了电源,要我交出箱子。

(172)我向摩西夫人是否也要电池,他继续告诉我,奥丽加是一个简单的工作机器人,她是搬运工,挖土工和保镖。我说出我的心里话:"我只是普通警察,我有责任把你们交给法律。"

(173)我让老板出去叫鲁尔维克,但进门的是西蒙纳和老板。西蒙纳告诉我鲁尔维克很糟,摩西在为他编制程序,他骂我是个绣花枕头。

(174)西蒙纳越说越激动,"隔多少世纪给您一次机遇,这是您一生中第一次,也是最后一次最辉煌的机遇。"

(175) 我感到一双强有力的手从后面掐住我的胳膊，接着一阵痉挛，锁骨的疼痛使我差点失去知觉，西蒙纳把我的手枪塞进他口袋。老板在我耳边说："理智一些，人类的良知不能只靠一个法律活着。"

(176)"强盗!"我嘶哑着声音喊："我要逮捕你们。""你要把我们都抓起来，您做得对，可是，暂时不放你走。"老板命令说。

(177) 摩西用超人的力量吆喝:"准备好啦?出发……再见,地球人!"

(178)在前面奔跑的是摩西夫人,她腋下夹着一只皮箱,摩西端坐在她肩上,后边跟着奥拉弗,他背上是鲁尔维克。摩西夫人的宽裙飘舞,鲁尔维克的空袖翻卷。摩西怒舞鞭子,他们奔跑的速度神奇极了!

(179)钦皮翁的直升飞机追赶他们。逃跑者开始慌乱。奥拉弗摔倒在地,摩西在雪地翻滚。西蒙纳抓住我衣领大哭:"你看见没有,木头,刽子手!"

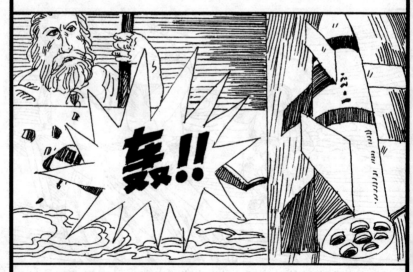

(180)钦皮翁的直升飞机坠入400米深的美女湖中死了。外星人已顺利地登上锃亮的火箭返回家园。西蒙纳几次登上峭壁,试图发现被毁电站残迹,在一次登山中不幸遇难。

(181)欣库斯判无期徒刑，每年写呈子请求赦免。卡依莎已出嫁，有4个孩子。亚力克"星际尸魔"旅馆非常兴旺，已有了两幢大楼。

(182)大狗莱丽死了，纯粹是由于年老。狗在死前不久学会识字，令人惊奇。

(183)非军事单位头头责怪我没有及时交出箱子，以致使让人遭受不必要的危险。由于抓获欣库斯和找回 100 多万克朗，我获得奖金，我退休时是一级探长——我指望的最高级别。

(184)现在我会说，他们是外星人，他们是陷入意外困境的不幸外星人，而我那样对待他们未免太残酷了些。

火星公主
世界科幻精品画库

主编：徐　芝
出版发行：福建少年儿童出版社
社址：福州市东水路 76 号（邮编：350001）
经销：福建省新华书店
印刷：福建新华印刷厂
开本：850×1168 毫米　1/32
印张：12.25　　**插页**：2
印数：1—5180
版次：2001 年 10 月第 1 版
印次：2001 年 10 月第 1 次印刷
ISBN 7—5395—2073—6/J·358
定价：13.00 元